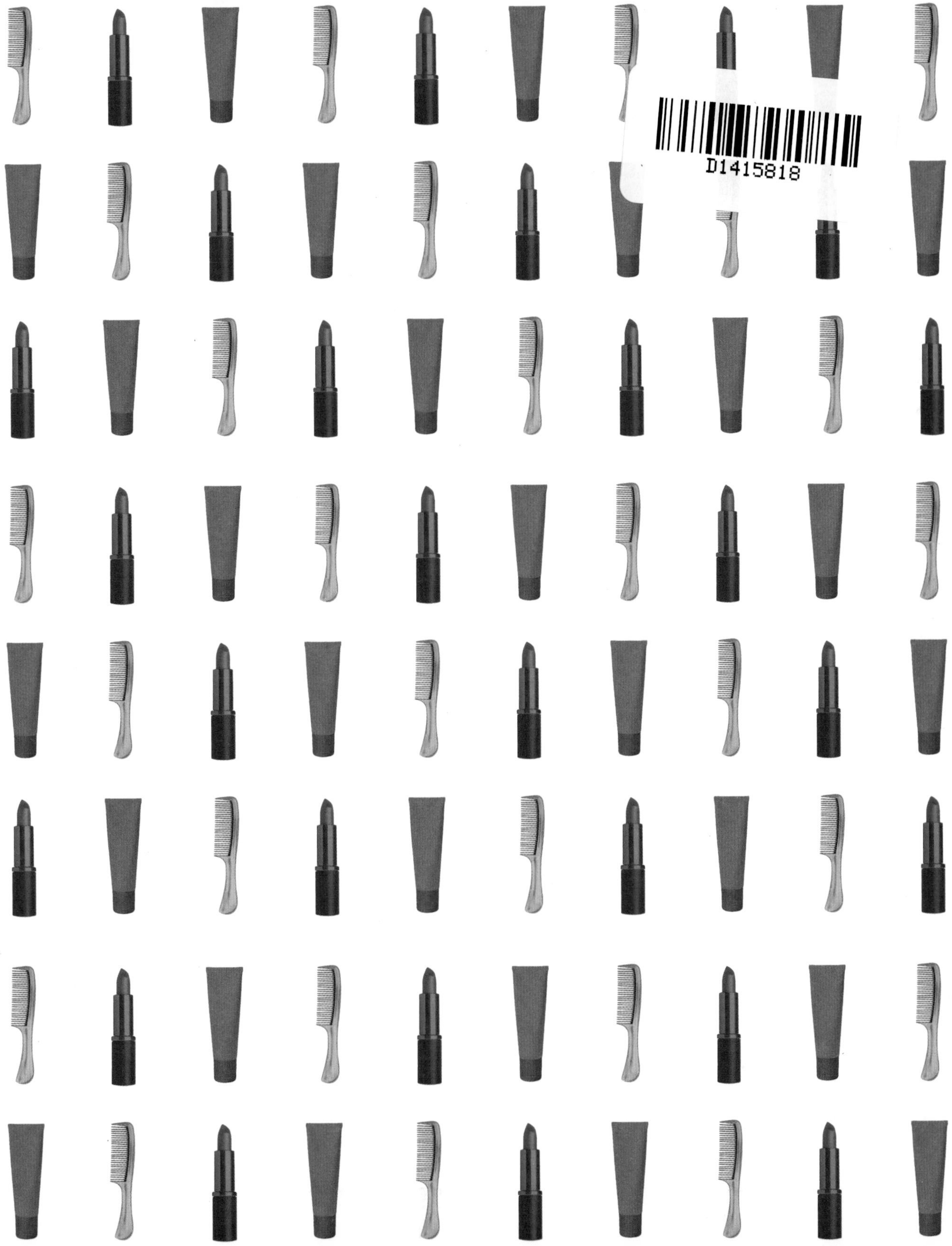

LE PETIT GUIDE DE LA BEAUTÉ

LE PETIT GUIDE DE LA BEAUTÉ

Cynthia Dulude

Éditeur : François Doucet

Révision linguistique : Ginette Boisvert

Correction d'épreuves : Nancy Coulombe, Carine Paradis

Graphisme et illustrations : Marlène Dulude

Infographie : Sébastien Michaud, Sylvie Valois

Photographies : Marianne Plaisance

Images : © Thinkstock

Assistance à la photographie (photos en coulisses) : Kim Hurley

ISBN papier : 978-2-89752-980-2

ISBN PDF numérique : 978-2-89752-981-9

ISBN ePub : 978-2-89752-982-6

Première impression : 2016

Dépôt légal : 2016

Bibliothèque et Archives nationales du Québec

Bibliothèque Nationale du Canada

Éditions AdA Inc.

1385, boul. Lionel-Boulet

Varennes, Québec, Canada, J3X 1P7

Téléphone : 450-929-0296

Télécopieur : 450-929-0220

www.ada-inc.com

info@ada-inc.com

Diffusion

Canada : Éditions AdA Inc.

France :   D.G. Diffusion

             Z.I. des Bogues

             31750 Escalquens — France

             Téléphone : 05.61.00.09.99

Suisse :   Transat — 23.42.77.40

Belgique :   D.G. Diffusion — 05.61.00.09.99

Imprimé en Chine

Crédit d'impôt livres   **Gestion SODEC**

Participation de la SODEC.

Nous reconnaissons l'aide financière du gouvernement du Canada par l'entremise du Fonds du livre du Canada (FLC) pour nos activités d'édition.

Gouvernement du Québec — Programme de crédit d'impôt pour l'édition de livres — Gestion SODEC

TABLE DES MATIÈRES

SECTION
MAQUILLAGE   1

LA BASE ———————————————————————————— 7
LES YEUX ——————————————————————————— 27
LE TEINT —————————————————————————— 45
LES LÈVRES ————————————————————————— 59
LES TRANSFORMATIONS ————————————————— 65

SECTION
BEAUTÉ   75

LE VISAGE ———————————————————————— 77
LE CORPS ———————————————————————— 107

SECTION
CHEVEUX   133

LA BASE ——————————————————————————— 135
LES PROBLÈMES CAPILLAIRES —————————————— 147
LES TECHNIQUES ————————————————————— 159

Merci

Merci d'abord à François et à Nycolas pour leur confiance et leur accueil.

Merci à ma chère sœur Marlène, sans qui j'aurais dormi encore moins d'heures ! Ton implication dans le projet est à souligner.

Marianne, ou comment faire les plus belles photos possibles. On a tenu le coup à chaque doute, chaque crainte et je t'en remercie.

Mention spéciale aussi à ma maman d'amour, qui m'a soutenue tout au long du projet et qui, comme toujours, repassait derrière moi pour s'assurer que mon français était à la hauteur !

Papa, le simple fait de prendre conscience que tu crois en moi me comble et me pousse à aller plus loin.

Merci à tous les experts et amis qui m'ont guidée sur ce projet. Hugo, Clarisse, Kim, Luc, Maya et Catherine. La boutique 1861 et La Petite Garçonne pour les vêtements (les plus jolis magasins de tout Montréal !). Les Relookeuses qui ont su s'adapter rapidement à mon mode de vie effréné.

Merci aux modèles pour votre temps et votre générosité ! Maquiller vos jolis minois fut un réel plaisir pour moi : Ariane, Alex, Camille, Carole, Caroline, Célica, Claudia, Daphnée, Dominique, Élizabeth, Gabriela, Gabrielle, Isabelle, Jessica, Kim, Léa, Lisanne, Marianne, Marie-Hélène, Marlène, Mikendia, Millie et Vanessa.

Bref, merci à VOUS, « Duludettes » qui me suivez dans tous mes projets. Phrase maintes fois entendue, mais sans vous, c'est vrai que tout cela ne serait pas possible.
MERCI !

Je suis Cynthia.

Peut-être me connaissez-vous déjà ? Pour certaines personnes, je suis une maquilleuse exerçant son métier à Montréal ; pour d'autres, je suis une « gourou beauté » qui publie des vidéos sur Internet chaque semaine. Pour d'anciennes connaissances, je suis une fille timide, qui manque un peu de confiance en elle, mais qui est fonceuse et qui mord à pleines dents dans la vie. Je suis tout ça, et plus encore.

J'étais abasourdie lorsqu'on m'a approchée pour écrire un livre au printemps 2015. Quand j'ai lancé ma chaîne sur YouTube en janvier 2011, jamais je n'aurais pensé qu'une telle occasion se présenterait dans ma vie, et encore moins si tôt ! Mon aventure sur le Web, depuis le début, est parsemée de réalisations et de rêves accomplis qui m'enchantent tous les jours. Avec de la détermination, de la passion et du courage, je pense qu'on peut tout faire.

Pour l'écriture de ce livre, j'ai pensé à un concept, j'avais une idée claire en tête, des objectifs ; tout ce qu'il me fallait, c'était du temps pour le réaliser. Ce projet est devenu ma priorité, même si j'ai parfois manqué de sommeil… Heureusement, j'étais bien entourée : ma talentueuse équipe créative a embarqué dans mon projet fou et a livré la marchandise ! Qu'est-ce que j'aurais fait sans Marianne et Marlène ?

À travers Le petit guide de la beauté, *j'espère vous communiquer ma passion pour la beauté et les femmes en général. J'espère surtout que vous apprendrez de nouvelles choses au sujet du maquillage, des cheveux, de la peau, etc. Après des années à être en contact avec ma communauté (affectueusement surnommée les « Duludettes »), j'ai pris conscience des interrogations des femmes par rapport à l'apparence physique. J'ai tenté de répondre dans ce livre à toutes les questions qui revenaient le plus souvent, et plus encore ! C'est un guide pratique à avoir sous la main, à tout âge.*

Les modèles féminins qui apparaissent dans le livre sont diversifiés comme la beauté qui revêt différentes formes. Je pense qu'une femme bien dans sa peau et souriante est maître d'elle-même. La confiance en soi, parfois difficile à développer, est cruciale ; vaut mieux commencer jeune à travailler sur soi. Se mettre en valeur tout en travaillant sa beauté intérieure, c'est ce que j'essaie d'inculquer à travers mes vidéos et mon blogue depuis le tout début. Se sentir belle, c'est 70 % de mental et 30 % de physique.

Prenez soin de vous. Vous êtes unique ! C'est ce qui vous rend si attirante.

Bonne lecture,

Cynthia

xox

MAQUILLAGE

Une foule de conseils sur le choix des produits essentiels, leur entretien et les façons de les appliquer tout en tenant compte des éléments particuliers à votre visage.

LA BEAUTÉ À TRAVERS LE TEMPS

4000-100 AV. J.-C.

Les femmes et les hommes utilisent du khôl, spécialement en Asie du Sud, au Moyen-Orient et en Afrique. En plus d'être esthétique, il a la fonction de protéger les yeux contre les infections.

1400

Le plomb est employé pour pâlir la peau et les cicatrices pendant des années. Ce n'est que des siècles plus tard qu'on découvrira ses effets néfastes sur la santé.

1936

La crème solaire est inventée ! On la doit au créateur de L'Oréal.

1930

Clairol invente la première coloration maison pour cheveux. On envie le blond platine de Jean Harlow !

1950

Le « glamour » hollywoodien rend les faux cils et l'œil de biche indispensables pour toutes les stars de cinéma. Les femmes à la maison tentent de copier le style.

1980

On reconnaît les années 1980 à cause de l'excentrisme du maquillage et de la coiffure. Madonna est une idole, et son style est maintes fois copié. On aime les sourcils à l'image des cheveux : gros et broussailleux. Les premiers autobronzants font leur apparition.

2

1600

Les femmes utilisent une dangereuse poudre pour le visage à base d'arsenic qui ira jusqu'à causer quelques décès !

1800-1850

Les femmes victoriennes ont instauré la tendance du maquillage « gothique » : lèvres et teint pâles, yeux foncés voire cernés...

1920

Le bronzage devient à la mode ! C'est la faute de Coco Chanel, qui a attrapé un coup de soleil par inadvertance sur un yacht. Les femmes ont aimé et ont commencé à copier son « style » !

1913

Le premier mascara tel qu'on le connaît aujourd'hui est inventé. On le doit au créateur de Maybelline.

2000

Les stars de la pop adoptent un look plus sexy et provocateur. Le perçage au nombril est populaire, ainsi que le brillant à lèvres. Dans les cheveux, on retrouve beaucoup de dégradés, des mèches de différentes couleurs ainsi que différentes textures (gaufré, lisse, frisé).

2010

L'industrie des cosmétiques continue de se développer très vite et la chirurgie esthétique est toujours en vogue. Bien que la diversité soit mieux tolérée, les femmes restent grandement influencées par les images de « beauté parfaite » qu'envoient les médias et les réseaux sociaux.

CONFESSIONS DE Cycy

LE MAQUILLAGE ET MOI

D'aussi loin que je me souvienne, j'ai toujours aimé le maquillage. Ça a commencé très jeune, lorsque ma mère se pratiquait sur ma sœur et moi pour nos fêtes d'anniversaire. Elle avait un livre intitulé « Maquillage en cinq minutes » où l'on retrouvait des dizaines de looks à reproduire. Mon préféré était « Belle princesse ». Quelle surprise ! Je me souviens même lui avoir dit, après avoir vu une photo d'un maquillage de poupée, que j'aimais les taches de rousseur et que j'aimerais en avoir quand je serais plus grande. Mon souhait s'est exaucé !

Quelques années plus tard sont arrivées dans ma vie mon amie Myriam et son adorable maman qui était passionnée de cosmétiques. Ce monde me fascinait et lorsqu'elle m'annonçait qu'on pourrait jouer avec une nouvelle collection de maquillage tendance, une boule d'excitation se formait dans mon ventre ! J'observais mon amie s'épiler quelques poils des sourcils avec le même intérêt que celui que j'avais sur les bancs d'école. J'ai toujours été avide d'apprendre sur tout ce qui touche à la beauté.

LA BASE

LA TROUSSE DE **BASE**

Quelques produits sont nécessaires pour réaliser aisément plusieurs looks, dont ceux reproduits dans ce livre. Graduellement et selon notre budget, on peut compléter notre trousse de maquillage avec ce qu'il manque. Voici donc, selon moi, les véritables indispensables, à tous âges.

CRAYON KHÔL NOIR

ROUGE À LÈVRES

CACHE-CERNES

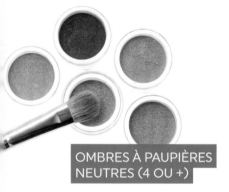

OMBRES À PAUPIÈRES NEUTRES (4 OU +)

OMBRES À PAUPIÈRES COLORÉES (2 OU +)

POUDRE POUR LE VISAGE

CRAYON CONTOUR LÈVRES

FARD À JOUES

PINCE À ÉPILER

FOND DE TEINT

RECOURBE-CILS

TRACEUR LIQUIDE

MASCARA

CRAYON À SOURCILS

BRILLANT À LÈVRES

BASE POUR OMBRES À PAUPIÈRES

CRAYON TRACEUR POUR LES YEUX

À SAVOIR

LES BONS PINCEAUX

Les pinceaux sont un investissement. Ils coûtent cher sur le coup, mais peuvent durer des années grâce à peu de soins ! Des pinceaux de mauvaise qualité perdent leurs poils, sentent mauvais, cassent et sont rêches. Ne torturez pas votre visage. Je pense que de bons pinceaux sont essentiels à la réussite d'un beau maquillage. Vous pourriez être le maquilleur le plus renommé du monde, si je vous mets en main des pinceaux exécrables, vous allez devoir redoubler d'efforts ! Les pinceaux sont l'extension de la main. Bien que les doigts puissent servir d'excellents outils en maquillage, certains pinceaux restent indispensables, pour tout le monde. Alors oubliez les applicateurs éponge fournis dans les quatuors de fards et ceux que votre grand-mère vous a donnés : modernisez votre trousse !

Les ensembles de pinceaux peuvent être un piège. Vous pensez faire une bonne affaire en achetant 30 pinceaux pour 45 $, trousse incluse ; mais selon mon expérience, on retrouve souvent des pinceaux en double, en triple… Aussi, certains n'ont aucune utilité. Mieux vaut choisir soi-même ses pinceaux, individuellement et dans différentes marques au besoin. J'ai fait la liste à la page suivante des 10 pinceaux indispensables pour tout le monde, selon moi. Croyez-moi, vous n'en avez pas besoin de 30 !

Les boutiques spécialisées en maquillage offrent de meilleurs pinceaux que les pharmacies. Sur Internet, on trouve aussi de super prix avec un large éventail de produits ! Sur mon blogue, en tapant le mot-clé « pinceaux », vous trouverez plusieurs articles à ce sujet.

PINCEAU À LÈVRES

PINCEAU ROND

PINCEAU POUR FOND DE TEINT

PINCEAU POUR CACHE-CERNES

PINCEAU À POUDRE

PINCEAU POUR FARD À JOUES

PINCEAU PLAT

PINCEAU ESTOMPEUR

PINCEAU BISEAUTÉ

PINCEAU CRAYON

ENTRETIEN ET NETTOYAGE
DES PINCEAUX

Pour garder vos pinceaux à maquillage beaux et doux longtemps, vous devez leur conférer un minimum de soins. Peu de gens nettoient fréquemment leurs pinceaux, mais pourtant, c'est très simple !

NETTOYAGE

Avec un vaporisateur

La façon la plus rapide et facile ! Je procède au nettoyage de mes pinceaux avec un nettoyant en vaporisateur avant de maquiller une cliente et parfois aussi lorsque je change de couleur. Il sèche assez vite et il désinfecte. Il y en a plusieurs marques en pharmacie ou en boutique beauté. Je vaporise sur les poils du pinceau sale devant un mouchoir et je frotte délicatement.

Avec un savon

Je conseille de faire un shampoing pour vos pinceaux de **1 à 4 fois par mois**. En utilisant seulement le vaporisateur, les saletés finissent par s'accumuler quand même. Offrez-leur un bon lavage à la main pour les conserver longtemps ! Avec un savon doux à l'huile d'olive ou un shampoing pour bébé, faites mousser doucement les poils et rincez.

SÉCHAGE

Une erreur fréquente est de faire sécher ses pinceaux debout dans un pot. L'eau finit par s'infiltrer dans la férule puis dans le manche et ça peut endommager le pinceau plus vite (ou faire décoller l'extrémité). Je suggère de les faire sécher pendant plusieurs heures à plat, sur une serviette, ou encore de les suspendre la tête en bas. C'est la meilleure technique et vous pouvez créer votre propre support à pinceaux à l'aide d'un sèche-linge à pinces.

Nettoyez-les et séchez-les bien et vous les garderez intacts des années durant. S'ils deviennent rêches, qu'ils perdent trop leurs poils ou se déforment, c'est un signe qu'il est temps de se réapprovisionner !

LES **BASES**

Il existe sur le marché des bases pour les yeux, les lèvres et le visage. Elles prolongent la tenue du maquillage et créent un meilleur « canevas » de base. On les utilise, par exemple, avant d'appliquer les ombres à paupières, le rouge à lèvres ou le fond de teint. J'entends souvent des femmes les comparer aux crèmes hydratantes ; ce n'est pas la même chose ! La base pour le visage, par exemple, ne remplace en aucun cas l'étape de l'hydratation. Appliquez votre crème hydratante et patientez 10 minutes avant d'ajouter votre base, au besoin.

COMMENT LES CHOISIR ?

Les textures sont très variables ! Il en existe plusieurs selon l'effet désiré. La plupart des bases pour le visage contiennent du silicone, elles sont donc glissantes. Elles estompent les ridules et les pores et laissent un fini soyeux sur la peau. On peut les porter seules ! Sachez qu'il existe aussi des bases conçues pour les peaux grasses, qui matifient le teint toute la journée. Pour les yeux, il existe des bases liquides, en crème, en crayon, etc. Les bases avec une texture plus sèche ou légèrement collante donnent généralement de bons résultats pour la tenue des ombres à paupières.

À SAVOIR

PÉREMPTION DES COSMÉTIQUES

J'ai souvent côtoyé, depuis le début de ma carrière, des femmes qui utilisaient des produits que je n'avais jamais vus de ma vie... Mauvais signe ! Parfois, juste par l'emballage, je peux donner l'âge approximatif du produit. Contrairement aux vêtements dont on ne veut plus se défaire, les cosmétiques ont une date de péremption ! Il faut faire le ménage de sa trousse tous les **4 à 12 mois**.

LES SIGNES À SURVEILLER

1. Changement d'odeur

C'est souvent le premier signe ! Un mascara périmé change d'odeur, un rouge à lèvres ou un fond de teint aussi...

2. Changement de couleur

Dans le cas des produits teints, surtout. On retrouve aussi cette anomalie dans les vernis à ongles trop vieux.

3. Changement de texture

Les brillants à lèvres ou les fonds de teint qui se séparent, une crème qui a séché en partie... gardez l'œil ouvert !

Fiez-vous à votre nez et à vos yeux ! Si le produit n'a plus l'air frais, jetez-le. De toute façon, s'il est périmé, il risque d'être moins efficace. Certains produits demandent plus de prudence, comme les mascaras et les crayons traceurs pour les yeux. Respectez vraiment les dates pour ceux-ci. Sinon, pour la poudre libre et les ombres à paupières, les risques encourus sont moins grands si l'on dépasse la date de péremption.

PRODUITS	DURÉE DE VIE
Produits liquides	6 à 12 mois
Poudres, fards à joues et ombres à paupières	24 mois
Rouges à lèvres, brillants à lèvres	12 à 24 mois
Mascaras	3 mois
Fards en crème pour les yeux	12 à 18 mois
Crayons à lèvres et pour les yeux	24 mois
Traceur liquide	6 à 12 mois

Notez bien qu'il s'agit d'un calcul à partir de la date d'ouverture du produit. C'est à ce moment que la contamination par l'air débute. Sinon, on peut les garder bien plus longtemps ! Sur les emballages, vous trouverez souvent le symbole « pot ouvert » qui indique la durée de vie du produit une fois celui-ci ouvert.

LES **COULEURS**

Je dis souvent qu'en maquillage, tout est une question d'illusions. Ce sont les choix de couleurs et les ombres et la lumière qui décident de tout ! Mieux vaut apprendre à bien les utiliser si vous voulez vous avantager. Référez-vous à cette page pour tous vos besoins en matière de couleurs : maquillage, couleur des cheveux, habillement, etc.

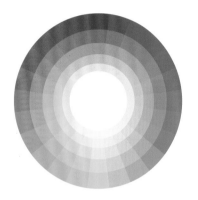

Le cercle chromatique, bien connu des artistes, est bien pratique à avoir sous les yeux !

Les couleurs adjacentes sont les couleurs côte à côte dans le cercle. On voit ici le jaune, l'orangé et le rouge.

Les couleurs complémentaires sont face à face dans le cercle. Souvenez-vous de Noël et de ses couleurs, le rouge et le vert !

TON SUR TON

Vous n'êtes pas certaine de bien choisir vos teintes ? Avec les couleurs adjacentes, vous ne vous trompez pas ! Vous pourriez, par exemple, réaliser un maquillage coloré avec du turquoise, du bleu et du mauve. Une autre option serait de décliner une seule couleur, mais en plusieurs nuances : rose clair, rose moyen et rose foncé. Vous pouvez aussi essayer cette technique sur vos ongles !

CONTRASTÉ

Si vous souhaitez faire ressortir une couleur en particulier, je vous conseille de vous fier aux couleurs complémentaires. Selon cette théorie, les 2 couleurs qui sont face à face dans le cercle chromatique offrent le plus grand contraste entre elles. Une femme qui souhaiterait faire ressortir ses yeux verts pourrait donc porter un rouge à lèvres rouge. Mieux encore, une femme aux yeux bleus pourrait les faire ressortir davantage en teignant ses cheveux d'un ton cuivré !

NEUTRE

Petit rappel : les couleurs neutres (blanc, noir, brun, doré, argent, gris, beige) vont bien à tout le monde et ne jurent avec aucune couleur d'iris. Dans ma palette d'ombres à paupières, ce sont les couleurs les plus utilisées ! Essayez de jouer avec les contrastes : le noir fait ressortir au maximum les yeux bleus puisqu'il s'agit d'une couleur claire. À retenir également : le noir rapetisse et le blanc agrandit (lorsqu'on parle d'illusions d'optique en maquillage).

MES RECOMMANDATIONS

Si vous avez bien suivi les conseils ci-dessus, vous devriez être en mesure de bien choisir les couleurs qui avantagent vos yeux, votre teint, etc. Autrement, en règle générale, j'aime beaucoup le brun ou le noir pour les yeux bleus, le doré et le prune pour les yeux verts, et les tons de gris et de bleu foncé pour les yeux bruns.

LES FORMES DE VISAGE

Tout comme la forme de notre corps, la forme du visage évolue de l'enfance à l'adolescence, mais se stabilise généralement à l'âge adulte. Connaître sa forme de visage est essentiel pour bien le mettre en valeur avec le maquillage, la coiffure, les lunettes, etc. Commencez par déterminer si votre visage est court ou long en regardant les proportions verticales et horizontales.

Attachez vos cheveux pour réaliser cet exercice. Dessinez sur une feuille le contour de votre visage. Ressemble-t-il plus à un cercle, un rectangle ? Il arrive qu'on puisse être un mélange de 2 formes, mais c'est plutôt rare. Le visage ovale est dit idéal pour la grande diversité de looks qu'il permet de réaliser. Comme pour la silhouette X au niveau des types de physionomies, l'idée est de penser à rééquilibrer les proportions du visage en se basant sur le modèle ovale. Ainsi, il est possible de faire paraître plus long un visage rond et d'adoucir la carrure d'un visage angulaire.

VISAGES COURTS

VISAGE ROND

Un visage tout doux ! La mâchoire n'est pas définie et le contour du visage est très arrondi.

VISAGE EN CŒUR

Le menton est très pointu et le front est large. Il peut être aussi bombé.

VISAGE CARRÉ

La ligne de la mâchoire est bien définie. Les traits du contour du visage sont tous angulaires.

VISAGE DIAMANT

Le front et le menton sont assez étroits, tandis que les os des joues ressortent vers l'extérieur, imitant un losange.

VISAGES LONGS

VISAGE PYRAMIDE

Le bas du visage est nettement plus large que le haut. Le front est étroit. Inversé, on parlerait d'un visage triangulaire.

VISAGE OVALE

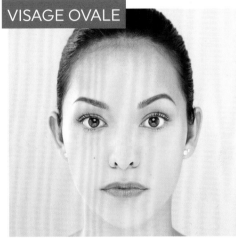

C'est le visage dit idéal parce qu'il est parfaitement équilibré

VISAGE RECTANGULAIRE

Il s'agit du visage carré en version plus longue. Les côtés du visage descendent en ligne droite et la mâchoire comme le front sont angulaires.

VISAGE LONG

Il ressemble au visage ovale, mais en plus long et plus étroit. C'est le type de visage le plus long.

L'ORDRE IDÉAL POUR L'APPLICATION
DU MAQUILLAGE

La question qu'on me pose le plus souvent est : « Pourquoi maquilles-tu les yeux avant le teint ? » Contrairement à bien des maquilleuses, je commence par le maquillage des yeux, que ce soit sur moi ou sur une cliente. Lorsqu'on applique des ombres à paupières, il est fréquent de retrouver de la poudre colorée sous les yeux. Si par malheur on s'adonnait à un maquillage des yeux charbonneux, le cache-cernes et le fond de teint seraient gâchés ! Pour moi, il est plus logique de faire les yeux en premier, de nettoyer les petites bavures et de poursuivre avec le teint. Ça permet d'économiser temps et argent !

Voici donc, selon moi, l'ordre idéal pour la réalisation d'un maquillage complet. Avant tout, la **préparation de la peau** nécessite une crème hydratante et un baume à lèvres, au minimum.

1 LES YEUX

- Base pour les yeux
- Ombres à paupières
- Traceur liquide
- Crayon khôl
- Recourbe-cils
- Mascara
- Sourcils

2 LE TEINT

- Base
- Fond de teint
- Cache-cernes
- Poudre
- Fard à joues en poudre/poudre bronzante
- Illuminateur en poudre

3 LES LÈVRES

- Crayon contour à lèvres
- Rouge à lèvres /brillant à lèvres

6
ERREURS
À ÉVITER

Ma vidéo la plus populaire sur YouTube depuis mes débuts est sans aucun doute les « 12 erreurs classiques en maquillage ». En 2015, elle frôlait les 3 millions de visionnements ! Depuis sa création en 2011, j'ai pu observer bien d'autres faux pas en maquillage, que j'ai le plaisir de partager avec vous.

UN *CONTOURING* PAS SUBTIL

La tendance du *contouring* (sculptage) a explosé en 2014. C'est bien beau vouloir amincir son nez, mais si on voit les traces brunes, c'est raté !

DES SOURCILS OMNIPRÉSENTS

On ajuste toujours le maquillage des sourcils selon les yeux. Les sourcils trop accentués paraissent mieux en photo que dans la vie de tous les jours !

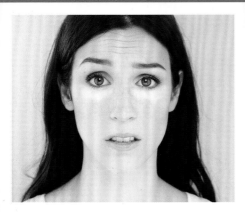

DE LA POUDRE AUX YEUX

La poudre blanche « haute définition » a bien des avantages… mais elle a été conçue pour la télévision, pas pour la photo ! Le flash des appareils vous rendrait blanche comme un bonhomme de neige.

OMETTRE LE MASCARA

J'ai parfois vu des femmes mettre du crayon traceur sur leurs yeux… sans rien d'autre. Le mascara est obligatoire dès qu'on se maquille les yeux.

LE FARD À JOUES DE POUPÉE

Pour le fard à joues, mieux vaut pas assez que trop ! Sinon, attention au look clown ! La couleur doit sembler venir de SOUS la peau, pas SUR la peau.

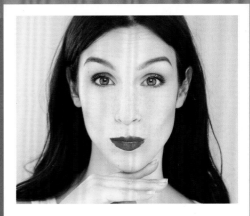

UN ROUGE QUI BOUGE

Une invention très pratique, créée il y des décennies, se nomme le crayon contour lèvres. Il empêche le rouge à lèvres de filer et le définit. La bouche rouge doit être parfaite, sinon l'effet est gâché.

LES YEUX

LES FORMES DE YEUX ET CONSEILS PRATIQUES

YEUX EN AMANDE

La forme de yeux classique par excellence! Tout leur va, ils sont l'équivalent du visage ovale.

Les yeux charbonneux, le maquillage rétro... éclatez-vous avec tous les styles!

YEUX RONDS

Les yeux ronds donnent souvent une impression de douceur. Ils peuvent aussi être globuleux, soit très bombés en haut et en bas.

Évitez les couleurs claires sur la paupière mobile afin de ne pas l'agrandir. Maquillez seulement le haut des yeux si vous ne voulez pas mettre en évidence l'arrondi de l'œil.

YEUX ASCENDANTS

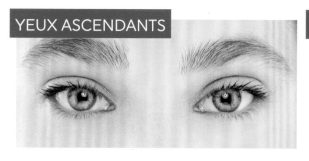

On aime les yeux ascendants parce qu'ils ont l'air joyeux! Si le coin externe de votre œil est plus haut par rapport au coin interne, vous aurez la chance d'avoir un regard jeune toute votre vie!

Aucune correction nécessaire ici; mettez l'accent sur vos jolis yeux en suivant la forme de votre œil avec les ombres et les crayons.

YEUX DESCENDANTS

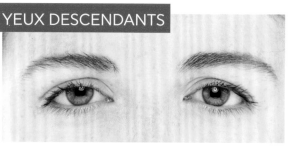

Le contraire des yeux ascendants. Si le coin externe de votre oeil arrive plus bas que le reste de l'oeil, vous avez des yeux descendants.

Trichez la fin de votre ligne de crayon en la remontant. Appliquez une ombre foncée et du crayon plus haut qu'à l'habitude.

Il existe globalement **8 types de formes de yeux**. Observez les vôtres dans un miroir et essayez de découvrir votre forme parmi les photos et descriptions ci-dessous ! Il se peut que vos yeux aient plusieurs caractéristiques, par exemple : yeux ronds + descendants.

YEUX RAPPROCHÉS

Si l'espace entre vos yeux est inférieur à la largeur de votre œil, vous avez des yeux dits rapprochés.

Étirez le coin externe avec des ombres foncées et utilisez des ombres claires au coin interne pour « repousser » les yeux.

YEUX ÉLOIGNÉS

Au contraire, si l'espace entre les yeux est supérieur à la largeur d'un œil, on dit que les yeux sont éloignés.

Essayez les yeux charbonneux ; pour rapprocher des yeux, on doit utiliser des tons foncés au coin interne.

PAUPIÈRES PLATES (ASIATIQUES)

En anglais, *monolid* signifie « une seule paupière ». Cela signifie que la paupière asiatique est plate, souvent dépourvue de creux.

Avec une paupière plate, on peut s'amuser à créer de jolis dégradés ! L'œil charbonneux doux est un bon choix.

PAUPIÈRES TOMBANTES

Contrairement aux yeux descendants, qui relèvent d'une inclinaison, avoir la paupière tombante signifie que la paupière supérieure tombe par-dessus la paupière mobile. Ce n'est pas forcément causé par l'âge : on peut avoir ce type de paupière même en étant enfant.

Illuminez la paupière mobile avec des ombres claires pour l'agrandir. Misez sur le traceur liquide pour faire ressortir le contour des yeux et essayez les faux cils !

OMBRES À PAUPIÈRES
COMMENT LES MARIER ?

Observez bien et vous remarquerez qu'en maquillage, ce sont presque toujours les mêmes modèles qui reviennent. Précédemment, je vous expliquais comment choisir vos couleurs, mais il est aussi essentiel de savoir OÙ les appliquer. Après avoir lu cette page, vous serez la reine des ombres à paupières !

COMBIEN DE COULEURS CHOISIR ?

Entre 2 à 5, c'est l'idéal. Essayez de trouver 1 couleur plus pâle que votre carnation, 1 couleur d'intensité moyenne et 1 couleur plus foncée que votre peau. Le but est de créer des contrastes au niveau de l'œil ! Si la **couleur** de l'ombre influence la couleur de l'**iris**, les **intensités** variées, elles, jouent sur l'effet de **dimension**. Avec 3 ou 4 ombres, on peut faire ressortir les yeux ou les transformer à notre guise.

COMMENT AGENCER LES FINIS

Mat, satiné, pailleté, métallique ; les finis en maquillage sont variés ! Amusez-vous à les mélanger comme bon vous semble, mais avant tout, quelques notions :

- La brillance fait paraître tout plus grand : utilisez des ombres satinées, métalliques ou pailletées sur les zones de l'œil que vous voulez agrandir. Essayez une ombre satinée sous le sourcil pour le relever ou encore une ombre métallique sur la paupière mobile dans le cas de paupières tombantes.

- Les ombres au fini mat sont les plus naturelles. Choisissez-les pour le jour, au bureau ou à l'école, par exemple.

- Mélangez les finis pour créer des contrastes intéressants. Pour ma part, j'aime utiliser des ombres satinées sur la paupière mobile et des ombres mates au creux de l'œil, car elles simulent très bien les ombrages.

Classique

C'est le maquillage passe-partout, celui que je fais le plus souvent. Il fait ressortir l'œil tel qu'il est : couleur claire au coin interne, couleur moyenne sur la paupière mobile et couleur foncée à l'extérieur. Cette technique agrandit le regard et reste indémodable.

Globe

On la voit moins souvent, mais cette technique fonctionne à merveille pour les yeux éloignés. Le globe ressemble au maquillage des yeux charbonneux, mais avec une touche de lumière au centre de la paupière mobile. L'ombre et la lumière créent un effet de rondeur sur la paupière.

Charbonneux

Les yeux charbonneux sont à l'opposé du maquillage classique. La teinte la plus foncée est appliquée en bordure des cils, en haut et en bas. Du coin interne de l'œil en montant vers le sourcil, on retrouve un dégradé de couleurs d'intensités moyennes à claires. Comme cette technique rapetisse le regard, elle est à privilégier pour les grands yeux.

LE TRACEUR LIQUIDE

Qui n'aime pas les yeux de chat ? Élégant et féminin, ce style de maquillage reste indémodable depuis son apparition, dans les années 1940. Le traceur liquide étiré au coin externe de l'œil convient à certaines formes de yeux plus qu'à d'autres, mais on peut toujours l'adapter. Pour le réaliser, il est préférable d'utiliser un traceur noir liquide ou en gel.

1. On commence au coin interne, en traçant un trait fin qui se fond dans la ligne des cils. Prenez appui sur votre visage pour que votre main ne tremble pas.

2. Poursuivez le trait vers le coin externe, en épaississant progressivement. Essayez de tenir l'embout couché, appuyé sur les cils, et faites-le glisser doucement. Cette technique permet d'avoir la main plus sûre.

3. Rendue au coin externe, regardez tout droit dans un miroir. Tracez une fine ligne qui s'aligne avec la fin du sourcil. N'étirez pas la paupière vers la tempe : ceci déformerait le trait.

4. Reliez maintenant tout simplement la virgule créée au reste du trait, en repassant en sens inverse. Épaississez au coin externe pour rendre le trait plus linéaire.

 Si vous avez raté, peaufinez la fin du trait avec un mini coton-tige légèrement imbibé de démaquillant.

Essayez de vous regarder dans un miroir plus bas que vous et incliné vers l'arrière. Le traceur liquide s'appuiera automatiquement sur le bord des cils !

SOURCILS PARFAITS
PROPORTIONS ET TECHNIQUES

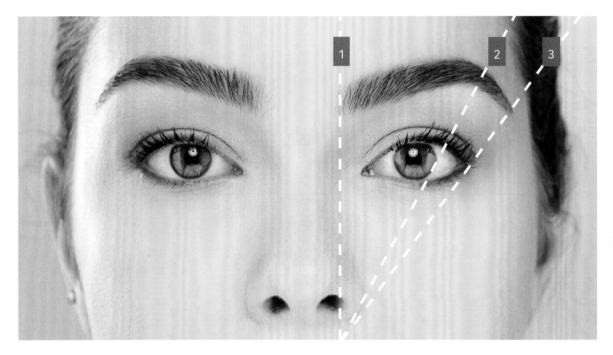

Le sourcil est divisé en 2 parties : une partie ascendante, et une partie descendante. C'est moins évident à voir dans le cas des sourcils droits, mais on peut tout de même toujours détecter l'arche.

1. Le point de départ du sourcil idéal : posez un pinceau à la verticale sur le côté de l'arête du nez (autrefois, on conseillait sur le côté de la narine, mais ça a tendance à grossir le nez).

2. Pivotez le pinceau vers le côté externe de l'iris pour trouver l'arche. Il faut vous regarder droit dans un miroir pour y arriver. L'arche est le plus haut point du sourcil et il introduit la deuxième partie du sourcil.

3. Finalement, pivotez le pinceau jusqu'au coin externe de l'œil, toujours en se regardant tout droit. Ceci indique la fin exacte du sourcil. De l'arche à la fin, le sourcil est descendant.

Il s'agit de la technique classique intemporelle du sourcil. Ça fonctionne à tout âge et pour toute forme de visage. La bonne forme de sourcils embellit le visage, car elle rend tous les traits plus harmonieux. Tout est une question de mesures et d'angles !

MAQUILLER SES SOURCILS

Maintenant que vous connaissez les proportions idéales de vos sourcils, voyons ensemble comment les maquiller. Je ne conseille pas de maquiller les sourcils qui n'ont jamais été épilés ; selon moi, mieux vaut les laisser au naturel. Une personne aux sourcils bien fournis n'a pas forcément besoin de les maquiller non plus… Par contre, si vos sourcils sont clairsemés, d'une autre couleur que vos cheveux ou trop fins, une retouche de maquillage leur fera le plus grand bien !

CRAYON À SOURCILS

Il sert à combler les petits trous, à redéfinir la ligne des sourcils, à colorer les poils. Il en existe de différentes tailles et formes, selon vos besoins. On l'utilise en dessinant de petits traits, la main légère, dans le sens du poil. On brosse toujours par la suite pour enlever l'excédent de produit. Certains crayons à sourcils sont plus gras ; pour améliorer leur tenue, on peut les fixer avec de la poudre.

POUDRE À SOURCILS

La poudre comble rapidement l'espace entre les poils pour créer une illusion de sourcils bien remplis. Par contre, dans le cas de sourcils très clairsemés, la poudre adhère mal à la peau. Je conseille donc d'appliquer d'abord un peu de crayon. La poudre a un fini plus mat que le crayon et une tenue moyenne. On l'emploie avec un pinceau biseauté, dans le sens du poil.

GEL À SOURCILS

Il en existe des transparents et des colorés (avec ou sans ajout de fibres densifiantes). On les utilise pour discipliner et fixer. Les gels s'emploient seuls (si vos sourcils sont bien fournis) ou par-dessus le crayon ou la poudre. Pensez à enlever l'excédent sur le bord du tube avant d'appliquer ! Brossez dans le sens du poil, mais légèrement vers le haut.

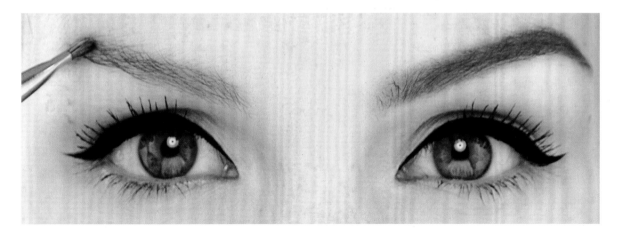

À NE PAS NÉGLIGER
LES SOURCILS

Les sourcils sont l'expression du visage. Ils structurent le regard et ont un impact direct sur la beauté du visage, car ils jouent beaucoup sur l'harmonie des traits. Bien épilés, ils embellissent un minois, mais ratés, ils peuvent aussi le rendre moins attirant. Convaincues ? Faisons le test plus bas.

TROP ÉPILÉS

Des sourcils trop fins ont tendance à vieillir le visage. C'est logique puisqu'on perd nos poils en vieillissant ! Avec des sourcils plus fournis, dessinés à la poudre et au feutre, le modèle regagne quelques années de jeunesse !

TROP COURTS

Ils peuvent être trop épilés au coin externe ou au coin interne, comme ici. La base des sourcils doit commencer vis-à-vis les narines. Plus les sourcils sont rapprochés, plus les yeux paraissent l'être aussi et plus le nez comme le visage paraissent davantage minces. Un peu de crayon et de poudre rééquilibrent tout le visage !

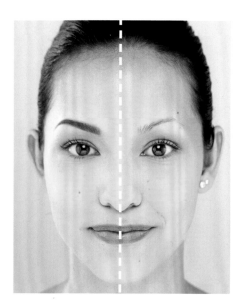

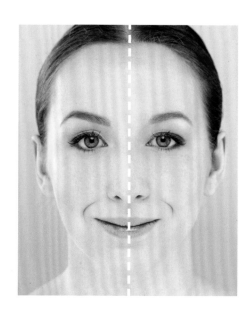

TROP RONDS

Voici une erreur que commettent bien des adolescentes, qui tentent d'affiner leurs sourcils. La forme en goutte d'eau n'est ni naturelle, ni flatteuse. Gardez en tête qu'un sourcil doit être plus angulaire qu'arrondi. Les lignes ne doivent pas être brisées. Un peu de pommade là où il manque des poils et le tour est joué !

TROP DISCRETS

Des sourcils trop clairs ou clairsemés peuvent défavoriser le caractère du visage. Comme les sourcils encadrent les yeux, il est important de les maquiller selon l'intensité du maquillage des yeux. Une fois qu'on prend conscience de l'importance du maquillage des sourcils, on ne peut plus s'en passer !

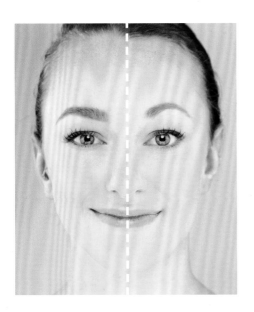

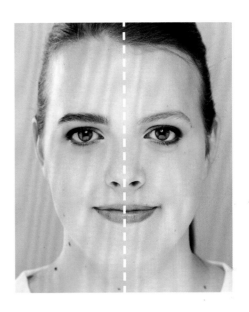

COMMENT CHOISIR SON
MASCARA ?

On le choisit souvent à l'aveuglette en pharmacie, mais le mascara est pourtant simple à comprendre ! La formule aussi bien que la brosse créent un mascara gagnant, ou non ! Avec les quelques notions qui suivent, je parie que vous ferez moins d'essais-erreurs.

LA BROSSE

En poils ou en plastique ?

Le résultat final de l'application sera très différent si vous choisissez une brosse en plastique ou en poils. Pensez cheveux : les brosses en poils naturels donnent du volume tandis que les peignes en plastique séparent et étirent.

Petite ou grosse ?

Choisissez selon la grosseur de vos yeux ! Une brosse géante sur des yeux renfoncés risque d'être difficile à manier. Les brosses coniques sont pratiques pour soulever les cils du coin externe, mais je préfère celles en forme d'arachide, qui soulèvent et galbent les cils. Avec le mascara, tout est une question de goût !

Noir, brun ou bleu ?

Je recommande toujours les mascaras noirs en premier. Ils sont indémodables et conviennent à tout le monde. Par contraste, la couleur foncée fait ressortir ce qui est pâle, comme le blanc de l'œil ou les yeux bleus, par exemple. Le brun, toutefois, reste une option plus naturelle. Le bleu marine peut être joli sur les yeux bruns, mais il est à privilégier surtout l'été.

LA FORMULE

Certaines pâtes de mascara sont dites souples, ce qui signifie qu'elles ne s'effritent pas au cours de la journée. Par contre, vous remarquerez peut-être qu'il existe des formules plus sèches, offrant souvent plus de volume. C'est habituellement le cas avec les mascaras à l'épreuve de l'eau.

MAQUILLAGE - LES YEUX

CILS XXL

On rêve toutes d'avoir de beaux cils! Atout de séduction et de féminité, on les veut fournis, recourbés et… longs! Voici quelques conseils de maquillage qui peuvent vous aider à vous faire une frange bien garnie.

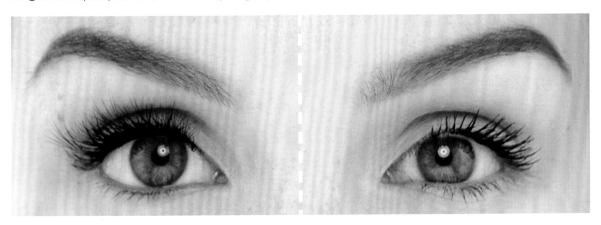

FIBRES

Il existe maintenant sur le marché des fibres minuscules, qui permettent d'épaissir et d'allonger les cils. Parfois, elles sont vendues en duo avec un scellant, sont intégrées au mascara, ou encore se vendent seules, en pot. La technique de base reste la même : on applique le mascara, on recouvre le tout avec l'applicateur imbibé de fibres et on réapplique du mascara (ou du scellant).

POUDRE

Une technique rapide et non dispendieuse à faire chez soi? Utiliser de la poudre pour le visage entre chaque couche de mascara! Avant que la première couche ne sèche complètement, on tapote un peu de poudre sur les cils avec un pinceau rond. On réapplique du mascara et le tour est joué! Les cils épaississent à coup sûr, mais faites gaffe aux grumeaux!

TRACEUR

Pour des cils plus fournis en une seconde, essayez le *tightlining*! Il suffit de tracer une ligne à l'intérieur de la paupière supérieure (aussi appelée muqueuse) avec un crayon noir. Cette ligne subtile créera une illusion de frange plus dense en remplissant les espaces entre chaque implantation de cils.

FAUX CILS

Évidemment, l'effet le plus dramatique s'obtient avec les faux cils! En frange, ils accentuent beaucoup le regard; le changement est remarquable. Préférez les faux cils individuels pour un effet des plus naturels! Collez-les avec une pince à sourcils à la base des cils, côte à côte. Utilisez une colle à faux cils régulière.

 Psst! Regardez dans la section Beauté; on y trouve plus de trucs pour apprendre à avoir de beaux et longs cils!

MAQUILLAGE - LES YEUX

Si ça peut vous encourager, j'avoue qu'ils ne sont pas toujours évidents à poser, les faux cils, même pour moi qui suis maquilleuse... Mais à force de pratiquer et d'essayer différentes techniques, on réussit. Ou on demande à une amie !

CHOISIR SES FAUX CILS

On en trouve à la pharmacie, en ligne et au comptoir beauté. Les prix varient généralement entre 3 $ et 30 $ la paire. Il en existe de toutes les longueurs et styles, naturels ou artificiels. Pour les mariages, je suggère les faux cils individuels, plus naturels et confortables. Autrement, je privilégie les faux cils de coin externe, qui remontent l'œil et sont plus faciles à poser ! Je vous suggère aussi de toujours commencer avec un trait de traceur liquide. Le fil des faux cils se fondra mieux dessus.

+ Si vous n'êtes pas habituée de porter des faux cils, ça peut sembler étrange comme sensation durant les 10 ou 20 premières minutes. La colle finit de sécher et ça peut tirer doucement la peau. Pour le démaquillage, passez simplement un tampon imbibé de démaquillant biphasé sur vos yeux. Ne tirez pas sur les cils, au risque de les faire tomber ; décollez plutôt la bande de l'extérieur vers l'intérieur. Nettoyez vos faux cils avec un coton-tige ; ainsi, vous pourrez les réutiliser encore 1 à 3 fois !

MÉTHODE POUR FAUX CILS EN FRANGE

1. Mesurer

Décollez doucement les faux cils avec une pince à épiler. Placez la frange vis-à-vis de votre œil et de vos vrais cils ; si elle dépasse au coin externe, coupez la longueur en trop avec des ciseaux à manucure. Répétez pour l'autre œil.

2. Coller

Appliquez finement de la colle à faux cils sur le rebord de la frange. Je vous suggère d'acheter cette colle séparément, car celle fournie dans les ensembles est rarement de qualité. Patientez de 15 à 30 secondes pour permettre à la colle d'être plus adhésive. Trop tôt, elle sera liquide et glissante, trop tard, elle ne collera plus bien à la peau !

3. Appliquer

Prêtes ? Placez un miroir plus bas que votre visage et inclinez-le vers l'arrière. En tenant fermement la frange avec votre pince, rapprochez-la de l'œil ouvert et déposez-la tout près de vos vrais cils. Les faux cils doivent être collés sur la peau, le plus près possible des cils naturels.

CONFESSIONS DE Cycy

SUIS-JE CAPABLE DE SORTIR SANS MAQUILLAGE ?

Voilà une question qu'on me pose parfois. J'avoue que je suis capable de le faire, n'importe quand, mais que je préfère sortir avec un minimum de maquillage, comme bien des femmes. Souvent, même pour aller à l'épicerie, je mets un peu de cache-cernes, je redessine mes sourcils et j'applique du mascara. C'est ma base pour me sentir à l'aise, en mode naturel.

Il arrive que je n'aie pas envie de faire cet effort, surtout tôt le matin. Je me dis que les gens que je croiserai ne sauront pas si je me maquille normalement ou pas. Mais croiser des gens que je connais, sans maquillage, on dirait que ça me gêne un peu. Je n'ai pas la même assurance quand j'ai pris 5 minutes à me préparer que quand j'en ai pris 30. J'aime prendre le temps de prendre soin de moi le matin, ça m'aide à me sentir bien et belle… et c'est comme ça que je peux affronter ma journée. Certains hommes mettent leur uniforme pour se sentir en confiance, moi, c'est le maquillage. C'est une toute petite barrière. C'est une façon de m'exprimer.

Avec le maquillage, je peux montrer aux autres le visage que je souhaite qu'ils voient. Bref, OUI, je peux sortir démaquillée, mais chaque fois je me prépare aux commentaires du genre : « Ça va ? Tu as l'air fatiguée aujourd'hui. »

Et vous, de quoi avez-vous besoin pour vous sentir bien en franchissant la porte d'entrée ?

LE TEINT

TOUT SUR LE
FOND DE TEINT

Pas évident, choisir son fond de teint ! On ne sait pas toujours où se le procurer, vers quelle marque se tourner et surtout, quelle couleur choisir. Le fond de teint sert à égaliser la couleur de la peau ; il faut donc toujours le choisir selon notre carnation. Une erreur de couleur et hop !, on peut se retrouver avec un teint grisâtre ou encore trop orangé.

LA COUVRANCE

Les fonds de teint peuvent être très opaques autant que peu couvrants. Je préfère ceux plus légers, car ils laissent entrevoir la texture et le grain de la peau ! Ceci étant dit, les femmes avec une peau acnéique ou présentant des rougeurs peuvent préférer une couvrance moyenne à élevée.

LE FINI

Mat, satiné, lumineux, poudré... il en existe plusieurs ! Choisissez-le en fonction de votre type de peau et de l'effet désiré. Par exemple, si votre peau est sèche, elle a naturellement un fini mat. Essayez un fond de teint au fini lumineux pour la faire rayonner !

COMMENT LE CHOISIR ?

1. Choisissez selon votre type de peau

Les fonds de teint liquides sont les plus versatiles et les plus modulables. Ils conviennent à tout le monde et c'est ceux que je préfère utiliser. Cependant, les fonds de teint en crème sont aussi une bonne option pour les peaux sèches, et les fonds de teint en poudre sont mieux adaptés aux peaux grasses.

2. Attention à la marque !

Je crois que s'il y a un produit pour lequel on devrait investir en maquillage, c'est bien le fond de teint. Pour l'instant, le choix de produits abordables en pharmacie est trop limité. Pour un produit qui couvrira l'ensemble de votre visage jour après jour, mieux vaut faire attention à la qualité ! La majorité des marques très abordables offrent des produits qui s'adaptent mal aux différentes carnations de la peau.

3. Trouvez le sous-ton de votre peau

La couleur de la peau est le résultat d'un mélange de mélanine (brun), de carotène (orange) et d'hémoglobine (rouge). Comme chaque personne est unique, on retrouve donc principalement des teints plus **dorés** (sous-ton jaune), plus **rosés** (sous-ton rouge) ou plus **olivâtres** (sous-ton verdâtre). Il faut absolument trouver votre catégorie, car chaque fond de teint a un sous-ton propre à lui ! La majorité des femmes en Amérique du Nord ont un sous-ton doré, mais sachez qu'il est possible d'être « **neutre** », c'est-à-dire d'avoir autant de pigments jaunes que rouges.

4. Faites le test

Pour savoir si vous avez trouvé la bonne teinte, déposez une goutte de votre produit près de la mâchoire et frottez légèrement. Si la couleur disparaît, c'est la bonne teinte ! Si elle ne se fond pas à la peau, soit elle est trop foncée, trop claire, ou encore qu'il s'agit du mauvais sous-ton.

COMMENT APPLIQUER
LE FOND DE TEINT

On peut le vouloir naturel, couvrant, lumineux ou mat. Le fond de teint a différentes textures, des finis variés et des méthodes d'application qui créent toutes un résultat unique. Fiez-vous aux conseils ci-dessous pour obtenir le meilleur de votre fond de teint.

LES DOIGTS

Appliquer son fond de teint avec les doigts crée le résultat le plus naturel. Comme la chaleur du corps réchauffe les produits, le fini sur la peau est imperceptible ! C'est la technique que je préfère utiliser sur moi-même. Il faut cependant faire attention d'avoir toujours les mains propres avant l'application et de les laver en suite !

LE PINCEAU

Le classique pinceau plat synthétique en forme de langue de chat est conçu pour appliquer le fond de teint partout sur le visage. Il donne plus de couvrance que les doigts et le fini est modulable. Il étend bien le produit, mais il est parfois pratique de repasser avec les doigts pour s'assurer qu'aucune trace de poils n'est visible !

Il existe d'autres types de pinceaux pour fond de teint. Je pense aux « duo-fibre », ces pinceaux avec 2 types de fibres (souvent noires et blanches) qui créent un fini à l'aérographe sur la peau. Le mieux est d'expérimenter ; chacune a ses préférences.

L'ÉPONGE

Les éponges triangulaires jetables perdent en popularité depuis quelques années. De nouvelles éponges, réutilisables et aux formes bien pensées, ont fait leur apparition sur le marché. On les utilise humides sur le visage. Elles demandent un peu d'entretien, car il faut les nettoyer après chaque usage ; cependant, elles sont très efficaces ! J'aime les utiliser sur les « peaux à problèmes », car en tapotant doucement la peau, on cache les imperfections sans « gratter » l'épiderme. De plus, comme elles sont mouillées, elles aident à obtenir un teint plus réaliste, moins mat.

LE CACHE-CERNES

Indispensable dans la trousse, que nos cernes soient prononcés ou légers ! Le cache-cernes éveille le regard et peut même corriger les autres petites imperfections du visage. Je conseille à toutes les femmes d'en avoir un illuminant et un plus couvrant.

COULEUR

En règle générale, on choisit le cache-cernes de la même couleur que sa peau. Pour un effet éclatant et antiâge, on peut le prendre un ton plus clair. Si vos cernes sont d'une couleur précise, vous aurez besoin d'un correcteur.

Cernes bleutés	correcteur/cache-cernes orangé
Cernes violacés	correcteur/cache-cernes jaunâtre
Cernes brunâtres (hyperpigmentation)	correcteur/cache-cernes saumon

TEXTURE

Globalement, on retrouve **2 textures de cache-cernes** : les **liquides** et les **crèmes**. Les cache-cernes liquides sont moins couvrants, donc plus naturels sous les yeux. Si vos cernes sont foncés, je vous conseille davantage un cache-cernes en crème. Mais attention : il faut bien le travailler pour que le résultat soit discret.

TECHNIQUE POUR CAMOUFLER LES CERNES

AVANT
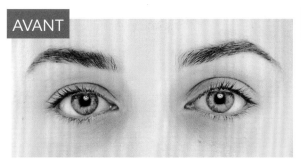

APRÈS
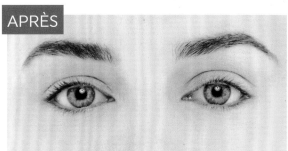

1. Appliquez le cache-cernes partout sous les yeux, en insistant sur le coin interne. Estompez.

2. Étalez avec les doigts pour réchauffer le produit ou utilisez un pinceau synthétique.

3. Fixez avec de la poudre libre pour une tenue prolongée.

TECHNIQUE POUR ATTÉNUER LES POCHES

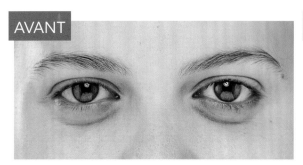
AVANT

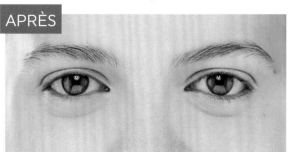
APRÈS

1. Appliquez un cache-cernes éclaircissant uniquement dans le pli de la poche. Estompez.

2. Recouvrez avec une poudre libre pour améliorer la tenue.

LE TRIANGLE MAGIQUE

C'est le nom que je donne à cette technique, un secret de maquilleur bien gardé ! La lumière sous les yeux illumine et rajeunit le visage. Les célébrités connaissent bien ce truc !

AVANT

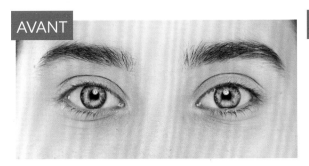

APRÈS

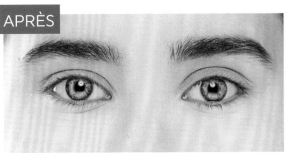

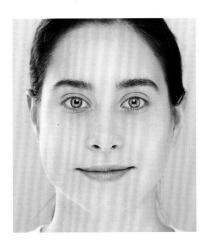

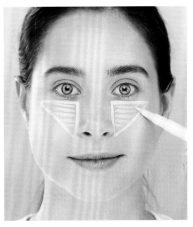

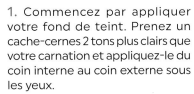

1. Commencez par appliquer votre fond de teint. Prenez un cache-cernes 2 tons plus clairs que votre carnation et appliquez-le du coin interne au coin externe sous les yeux.

2. Descendez maintenant jusqu'à la narine et reliez au coin interne pour former un triangle rectangle. Remplissez cette zone avec le cache-cernes et estompez le tout en tapotant.

LE FARD À JOUES

Il rehausse. Il donne de l'éclat. Il réveille le teint. Aucun doute qu'un de mes produits favoris en maquillage est le fard à joues ! J'en possède une collection assez impressionnante d'ailleurs. Toutes les femmes devraient avoir au moins un fard à joues dans sa trousse et je vais vous aider à bien le choisir !

TEXTURE

Bien que de nouvelles textures fassent leur apparition chaque année (mousse, gelée, guimauve, etc.), je privilégie **3 grandes familles de fards à joues**, soit les **poudres**, les **crèmes** et les **liquides**.

Poudre

C'est la texture la plus connue et la plus populaire. Un excellent choix, selon moi, pour sa versatilité selon les types de peaux.

Crème

Les fards à joues en crème s'appliquent bien avec les doigts et font un fini très naturel, plus que ceux en poudre. À privilégier si votre peau est sèche, mais à éviter si elle est grasse.

Liquide

Les fards à joues liquides, plus difficiles à trouver, sont une excellente option si vous cherchez quelque chose qui tiendra toute la journée. L'encre colore la joue pour une tenue irréprochable, mais elle est plus difficile à travailler !

COULEUR

La teinte du fard à joues se choisit selon l'intensité de la couleur de la peau. En règle générale, le rose pâle ou le rose pêche conviennent bien aux teints clairs, le rose moyen et le terre ressortent sur les teints moyens, et finalement, le rouge foncé ainsi que le prune avantagent les peaux foncées.

- Vous pouvez pincer vos joues pour voir leur teinte naturelle ; trouvez un fard à joues d'une nuance similaire et vous serez certaine que ça ira !

- Essayez d'harmoniser la teinte de votre fard à joues avec le reste de votre maquillage. Restez dans les couleurs chaudes ou froides. Avec un maquillage des yeux chargé ou très coloré, on opte pour un fard à joues plus neutre. Vous pourriez même utiliser de la poudre bronzante au lieu du fard à joues.

- Si vous souhaitez avoir un teint bonne mine, éclatant de santé et de jeunesse, tournez-vous vers les couleurs suivantes : rose, corail, pêche et rouge.

+ Pensez aux finis ! Il existe des fards à joues mats, satinés, pailletés... Si vous voulez faire ressortir vos pommettes au maximum, utilisez un fini lumineux pour l'effet de rondeur !

COMMENT L'APPLIQUER

J'entends souvent des clientes me dire qu'elles ne portent pas de fard à joues parce qu'elles ne savent pas comment l'appliquer. Évidemment, le fard doit aller sur la joue, mais selon l'emplacement, il pourra donner différents effets. Munissez-vous d'un bon pinceau rond de la taille de votre joue et choisissez l'une des options suivantes :

BONNE MINE/NATUREL

Voici la technique que vous voudrez utiliser tous les jours. Choisissez une couleur semblable à votre carnation qui ravivera votre teint. Le rose pour les blondes, le corail pour les brunettes et le framboise pour les peaux foncées, par exemple.

Souriez et appliquez le fard à joues sur la pommette ! Celle-ci se trouve exactement à l'intersection de l'arche du sourcil et du bout du nez.

DRAMATIQUE

Vous pouvez aussi jouer les femmes fatales et choisir d'appliquer votre fard à joues différemment. Pour un effet plus sexy et sérieux, on applique le fard en suivant le creux de la joue et en remontant doucement vers les tempes. Cette technique peut aider à amincir le visage puisqu'elle donne l'illusion de traits remontés.

ANTIÂGE

Attention ! La première technique fonctionne moins bien après un certain âge. Pourquoi ? Parce qu'après avoir souri pour appliquer le fard à joues, la joue redescend à sa hauteur habituelle et ceci peut contribuer à faire descendre les traits. On applique donc le fard à joues sans sourire, plutôt haut sur la joue.

N'oubliez pas de toujours bien estomper le fard pour un résultat des plus naturels ! Pour ce faire, j'aime bien prendre un peu de poudre pour le visage et repasser en mouvements circulaires autour du fard appliqué. Le fard à joues doit sembler irradier de l'intérieur !

SCULPTER LE VISAGE

Je ne pouvais pas passer à côté du *contouring* (sculptage), cette fameuse tendance qui est réapparue en 2014. Le *contouring* est en fait tout simplement l'art de sculpter le visage. Avec des ombres et la lumière, on peut faire ressortir certains traits ou les modifier.

LA BASE DU *CONTOURING*

Pour accentuer et sculpter le visage, ça prend 2 choses : 1 couleur plus claire que votre peau et 1 couleur plus foncée. Le produit peut être de texture poudreuse, crémeuse ou liquide. Souvenez-vous seulement que la poudre a un effet plus subtil.

La technique est simple : vous appliquez la teinte foncée (brun) sur les zones creuses, sauf les cernes. Vous en déposez donc sur les tempes, dans le creux de la joue, sur les côtés de l'arête du nez, le menton, etc. Si vous utilisez des produits gras, estompez-les avec une éponge légèrement humide. Appliquez ensuite la lumière (la couleur claire) partout sur les zones bombées : le centre du front, le dessus de l'arête du nez, le centre du menton, le haut des joues et les cernes. Estompez.

Cette technique sculpte le visage en accentuant l'effet 3 dimensions des traits. On l'utilise au théâtre, de façon plus prononcée. Vous pouvez également modifier un peu certains traits du visage en déplaçant les ombres et la lumière stratégiquement. La seule chose à retenir est que le blanc (ou les teintes pâles) grossit et que le noir (ou les teintes foncées) amincit.

JOUES DE STAR !

Regardez les maquillages des célébrités et vous remarquerez qu'elles ont toujours de belles pommettes saillantes. Ceci peut être dû à des interventions chirurgicales, mais on peut réaliser un effet comparable grâce au maquillage ! J'aime effectuer cette technique avant un événement spécial, car je trouve que les traits ressortent alors mieux sur les photos.

1. Grimacez : faites une « bouche de poisson » devant le miroir. Touchez votre joue. Sentez-vous le creux ? C'est à cet endroit qu'il faut appliquer le fard brun mat. Mon repère est toujours à partir des favoris en descendant vers la bouche. Arrêtez-vous vis-à-vis le coin externe de l'œil et estompez bien !

2. Appliquez ensuite le fard à joues, de la couleur de votre choix, mais d'intensité moyenne. Souriez et appliquez-le du sommet de la joue en l'étirant vers les tempes.

3. Finalement, ajoutez la lumière pour définir davantage le visage. Prenez un illuminateur nacré plus clair que votre peau et tapotez-le sur l'os de la joue. L'alignement doit être le même pour le fard brun, le fard à joues et l'illuminateur.

LES LÈVRES

COMMENT CHOISIR SON
ROUGE À LÈVRES ?

Je pense honnêtement que trouver la bonne teinte de rouge à lèvres pour soi est l'une des choses les plus complexes en maquillage ! En travaillant dans les cosmétiques, j'ai dû aider à maintes reprises des femmes en quête de la teinte idéale. Avec du recul, je crois qu'en matière de couleur pour les lèvres, c'est surtout une question d'essais-erreurs. Il n'y a pas de truc qui fonctionne à coup sûr, mais les conseils qui suivent devraient vous aider !

Quand je cherche la bonne teinte pour quelqu'un, je sors plusieurs tubes et je les place devant le visage de la personne. Je prends la couleur qui m'inspire le plus et je procède à l'application. La meilleure teinte pour vous est celle qui illumine tout votre visage !

Yeux charbonneux + lèvres nues look SEXY

Yeux charbonneux + lèvres rouges ou foncées look GLAMOUR

Yeux naturels + lèvres rouges look RÉTRO

Yeux classique + lèvres neutres look NATUREL

+ Souvenez-vous que les couleurs se divisent en **3 palettes** : les teintes **froides**, les teintes **chaudes** et les teintes **neutres**. À forcer d'essayer différents rouges à lèvres, vous remarquerez sûrement quelle palette vous convient le mieux.

En règle générale, les demi-tons (intensité moyenne) ont tendance à vieillir le visage. Les couleurs foncées donnent une allure sophistiquée et les teintes plus pâles sont davantage prisées par les jeunes.

NATUREL

Si vous n'êtes pas habituée de porter du rouge à lèvres, je vous suggère d'en choisir un neutre, naturel. Pour ce faire, observez attentivement la teinte de vos lèvres et trouvez une couleur presque identique en magasin. La couleur de vos lèvres sera unifiée et embellie, mais le changement ne vous choquera pas !

Certaines lèvres sont naturellement pâles, d'autres foncées. Certaines sont plus rouges, plus brunes, avec une dominance de mauve, de rose... Souvenez-vous : le maquillage, c'est énormément d'observation.

NU

Un rouge à lèvres est dit nu si sa couleur est plus claire que celle des lèvres. J'aime bien associer des bouches pâles à des yeux chargés pour leur laisser la vedette. Choisissez votre rouge à lèvres nu selon votre carnation, mais attention à ne pas le choisir trop pâle : ceci pourrait gâcher votre maquillage. Ce n'est pas naturel d'avoir des lèvres presque blanches et ça ternit le teint. Au besoin, appliquez une très fine couche de fond de teint sur les lèvres avant d'appliquer un rouge à lèvres neutre, simplement pour le rendre plus doux.

INTENSE

Les couleurs de rouges à lèvres vibrantes sont à privilégier pour les grandes occasions et les fêtes. On peut s'amuser avec les couleurs néon l'été, essayer des tons foncés pour l'automne, choisir de jolis rouges pour l'hiver et ressortir les pastels au printemps. L'important est d'assumer pleinement la couleur que vous choisirez. Exprimez votre personnalité à travers votre bouche !

LÈVRES PULPEUSES 101

Féminines, sensuelles, douces, rebondies… qui n'aime pas les lèvres pulpeuses ? Si certaines femmes sont nées avec une jolie rondeur de lèvres, d'autres en rêvent secrètement. La chirurgie est une option assez drastique ; parfois, avec le maquillage, on peut atténuer ce qui nous complexe et ainsi se sentir plus en confiance. Démonstration et conseils pour une bouche mise en valeur.

PRÉPARATION

Avant tout, je vous suggère d'exfolier vos lèvres. Le massage active la circulation sanguine, ce qui aide à redynamiser la peau des lèvres. De plus, l'exfoliant s'occupe d'éliminer les peaux mortes pour une bouche plus lisse. Ensuite, hydratez toujours avec un baume à lèvres. La peau gorgée d'eau est rebondie, donc vous avez tout à y gagner !

1. Utilisez un crayon blanc ou beige pâle, ou du cache-cernes pour effacer légèrement les contours de la bouche. En estompant avec un pinceau les lignes qui dessinent la bouche, on peut les retracer à notre guise.

2. Utilisez ensuite un crayon contour lèvres d'un ton plus foncé. Dessinez le contour de la bouche en dépassant légèrement de la ligne des lèvres. Remplissez les lèvres.

3. Appliquez le rouge à lèvres de votre choix. Idéalement, la teinte devrait être claire pour donner un effet d'agrandissement. Le fini aussi influence sur la rondeur des lèvres : privilégiez les finis brillants.

4. Terminez avec quelques ombres et lumière pour finaliser le maquillage. Un peu de fard brun apposé sous la lèvre inférieure fait paraître celle-ci plus bombée. Sur l'arc de Cupidon (haut des lèvres, au centre), déposez une touche d'illuminateur légèrement nacré pour créer un effet de volume.

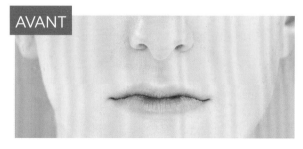

AVANT

APRÈS

LES DIFFÉRENTS PRODUITS POUR
LES LÈVRES

Quel produit pour les lèvres offre la meilleure tenue ? Lequel est le plus hydratant ? J'ai préparé pour vous un tableau résumé des produits pour les lèvres les plus vendus ainsi que leurs caractéristiques générales. Bon magasinage !

PRODUITS	PIGMENTATION	TENUE	HYDRATATION	FINI
Rouge à lèvres en bâton	Bonne à excellente	2 à 4 h	Faible à bonne	Mat, satiné, brillant, pailleté
Feutre pour les lèvres	Modulable	4 à 8 h	Faible	Naturel
Brillant à lèvres	Faible à bonne	1 à 3 h	Moyenne	Brillant, pailleté
Rouge à lèvres liquide (2 étapes)	Excellente	5 à 12 h	Faible	Mat, brillant, pailleté
Baume à lèvres teinté	Modulable	1 à 3 h	Bonne à excellente	Brillant, mat, pailleté
Rouge à lèvres liquide (crème)	Excellente	3 à 6 h	Faible à bonne	Mat, satiné

LES TRANSFORMATIONS

RETOUR SUR LES
TRANSFORMATIONS

Isabelle

ANTI ACNÉ

Une adolescente qui désire camoufler ses boutons peut le faire… mais avec minutie ! Sur le visage d'Isabelle, j'ai d'abord utilisé une crème traitante pour l'acné. Pour unifier globalement le teint, j'ai ensuite appliqué une crème BB. La peau autour des zones à problème est belle ; pourquoi la cacher avec un fond de teint lourd et artificiel ? J'ai camouflé chaque imperfection avec du correcteur, à l'aide d'un petit pinceau synthétique rond et pointu. Pour fixer le tout, j'ai employé une poudre légèrement jaunâtre qui atténue les rougeurs. J'ai finalement souligné les yeux de bleu marine pour faire ressortir leur couleur et j'ai mis une touche de rose sur les joues et les lèvres.

Mikendia

ANTI TEINT INÉGAL

La règle la plus importante à retenir lorsqu'on veut maquiller une peau ébène est d'utiliser un correcteur orangé. La peau est généralement plus foncée autour de la bouche et sur le front ; si on souhaite l'éclaircir, il faut d'abord appliquer une base orangée de la même intensité que la peau. Autrement, gare au teint qui vire au gris ! On tapote ensuite le fond de teint par-dessus, pour ne pas déplacer le produit qui vient d'être appliqué. Un peu de poudre libre est aussi essentielle pour fixer le maquillage et matifier la peau. Comme Mikendia avait beaucoup d'espace au niveau des paupières, j'ai opté pour un maquillage des yeux charbonneux qui sublime ses yeux sans les agrandir davantage. Les teintes kaki, dorée et noire se marient à merveille avec son teint chaud !

ANTI ÂGE

Pour rajeunir le teint, j'ai utilisé la méthode des couches superposées. J'ai d'abord appliqué plusieurs traitements comme des ampoules cosmétiques qui donnent un coup d'éclat au visage, ainsi que des huiles fines qui nourrissent et illuminent la peau. Une fois que ces produits ont pénétré dans l'épiderme, c'est l'heure du maquillage : d'abord, j'ai appliqué une fine couche de base rosée pour le visage. Le teint semble plus frais et les taches pigmentaires s'éclaircissent. J'ai aussi sélectionné un fond de teint liquide peu couvrant pour garder un effet naturel. Pour terminer, la bouche et les joues sont soulignées par des tons rouges ou prune qui réchauffent le teint et apportent de la vitalité !

Carole

SECTION
BEAUTÉ

Tout pour le bien-être du corps, en passant par le visage : suggestions d'achats, recettes maison, routines beauté, solutions aux problématiques et conseils avisés.

LE VISAGE

LA TROUSSE DE BASE

Peu importe votre type de peau, certains produits sont essentiels pour toutes les femmes. Je les ai énumérés sur ces pages pour que vous voyiez s'il vous manque quelque chose. Chaque compagnie de cosmétiques répertorie ses produits par type de peau ou par âge. Je me répète, mais l'important est de trouver une routine de soins adaptée à vous !

CRÉME HYDRANTE

CRÈME HYDRANTE
CONTOUR YEUX

LOTION TONIQUE

NETTOYANT MOUSSANT

EXFOLIANT

DÉMAQUILLANT

SÉRUM

✚ Les peaux grasses réagissent souvent mieux aux textures en gel. Gelée hydratante, gelée démaquillante, crème contour des yeux en gel... vous aimerez leur effet de fraîcheur !

Si vous avez la peau sèche (et non déshydratée), sautez sur les textures riches ! Les baumes sont parfaits pour vous offrir les lipides manquants nécessaires à votre peau.

En règle générale, je conseillerais les nettoyants en mousse pour les peaux normales-mixtes, ceux en crème pour les peaux sèches et ceux en gel pour les peaux grasses.

CONNAÎTRE SON TYPE
DE PEAU

C'est essentiel ! Beaucoup de femmes se trompent sur leur type de peau. C'est problématique, car cela peut les amener à acheter des produits non adaptés pour elles... et ainsi empirer la situation ! Notre type de peau, on le garde toute notre vie, mais il peut être influencé par différents facteurs (adolescence, grossesse, climat, etc.). D'ailleurs, vous remarquerez qu'il n'y a pas de section « **peau déshydratée** » dans les types de peaux énumérés ci-dessous. Il s'agit en effet d'un **état** de la peau, d'une condition, donc par définition, c'est passager. La peau déshydratée est en manque d'eau ; il est possible de produire trop de sébum (peau grasse), mais de manquer d'eau en même temps. Avoir une peau grasse déshydratée est donc tout à fait possible ! Une peau normale présente des taux de sébum et d'eau bien équilibrés.

PEAU NORMALE

Apparence et texture

La peau normale a un relief régulier et présente rarement des imperfections. Son grain de peau est plutôt lisse.

Pores

Les pores sont visibles, mais discrets.

Confort

La peau est parfaitement balancée ; c'est donc une peau facile à entretenir, qui ne connaît presque jamais de problèmes.

PEAU MIXTE

Apparence et texture

La peau mixte est une combinaison de peau grasse et de peau normale/sèche. Seulement la zone T présente une brillance.

Pores

Les pores sont visibles, surtout sur le front, le nez et le menton. Le relief est un peu irrégulier et la peau est sujette aux imperfections.

Confort

Outre l'inconfort de la surproduction de sébum, la peau mixte peut ressentir des tiraillements au niveau des joues, par exemple.

PEAU SÈCHE

Apparence et texture

En apparence, la peau sèche est comme la peau de bébé. Sa texture est lisse et douce. Elle ne brille pas du tout, jamais.

Pores

Sur une peau sèche, on ne peut pas voir les pores parce qu'ils sont très serrés.

Confort

Ce n'est pas une surprise, la peau sèche n'est pas confortable! Elle tiraille, donne l'impression qu'elle pourrait craquer à tout moment, surtout si elle n'est pas enduite de crème hydratante.

PEAU GRASSE

Apparence et texture

La peau grasse brille partout sur le visage, même sur les joues. Le grain de peau est rarement lisse.

Pores

Les pores de peau sont dilatés et visibles presque partout; on les discerne bien. Points noirs, boutons et autres imperfections sont souvent reliés à ce type de peau.

Confort

La peau ne tiraille pas à cause de ses réserves d'huile, mais la surproduction de sébum peut être dérangeante au niveau du confort et de l'esthétique.

ROUTINE VISAGE

Tout comme la trousse de base, il existe une routine de soins classique, qui fonctionne pour tous les types de peau. Certaines variantes seront nécessaires, mais voici, en ordre chronologique, la marche à suivre...

TOUS LES JOURS...

LE MATIN

Rafraîchir

Si vous avez transpiré pendant la nuit, il est important de rafraîchir la peau au matin. Je conseille de simplement passer une lotion tonique ou une eau micellaire sur le visage pour éliminer les résidus de sébum. Ça fait du bien et ça défatigue doucement.

Hydrater

Le matin, il est primordial d'hydrater son visage après l'avoir rafraîchi. Choisissez une crème de jour à absorption rapide. Ainsi, vous pourrez l'employer quelques minutes avant votre séance maquillage. Non seulement la crème hydrate, mais elle protège aussi ! Choisissez-la avec un indice FPS si vous souhaitez prévenir les taches pigmentaires et le vieillissement prématuré de la peau.

LE SOIR

Démaquiller

Avant d'aller au lit, on se démaquille obligatoirement ! Même si vous n'êtes pas maquillée, vous verrez qu'en passant un coton imbibé d'un peu d'eau micellaire (ou tonique) partout sur votre visage, il y aura des impuretés. La pollution de la ville contribue à salir l'épiderme. N.B. : les lingettes démaquillantes sont à privilégier en voyage. Mais attention, parce qu'à long terme, on dit qu'elles assèchent la peau.

Laver

Une fois le visage démaquillé, on procède au nettoyage. Il faut laver son visage avec un nettoyant moussant qu'on rince à l'eau. Utilisez un produit spécifique à votre type de peau et n'utilisez jamais un savon pour le corps sur votre visage. Je suggère un lavage uniquement 1 fois par jour, sans quoi la peau pourrait se sentir agressée et produirait ainsi plus de sébum, pour se protéger. Vous pouvez faire le nettoyage le matin ou le soir, à votre guise.

Exfoliant : c'est une base nettoyante, mais remplie le plus souvent de granules qui se chargent d'éliminer les cellules mortes en surface de la peau. Il existe aussi des gommages dits physiologiques (souvent composés d'acides de fruits/AHA). Tous les types de peau nécessitent un gommage, mais adapté à la sensibilité de leur peau. Je conseille de le faire **1 à 2 fois par semaine maximum**, pour ne pas agresser la peau ou encore l'assécher. Privilégiez les exfoliants physiologiques ou avec des granules rondes si vous ne voulez pas qu'elle soit trop abrasive avec votre peau.

Masque : on le fait tout de suite après l'exfoliant, puisque la peau est propre et prête à recevoir un traitement. Généralement, les masques doivent être appliqués de 5 à 20 minutes, puis rincés à l'eau claire. Encore là, choisissez-les selon l'effet escompté : hydratant, antiâge, purifiant, matifiant, nourrissant, revitalisant, etc. Personnellement, j'ai un coup de cœur pour les masques asiatiques en tissu : rigolos une fois apposés sur le visage, mais hautement efficaces ! L'effet d'incubation sur la peau y est pour beaucoup. Ceux à l'huile d'argan sont mes favoris.

Tonifier

Une fois la peau démaquillée et nettoyée, je vous suggère d'appliquer un peu de lotion tonifiante sur un coton. Beaucoup de femmes sautent cette étape, mais le tonique permet de ramener le pH de la peau neutre. Vous pourriez aussi utiliser une lotion adoucissante, qui permet à la crème hydratante de mieux pénétrer dans la peau.

Hydrater

On termine avec la crème hydratante, qu'une peau propre et balancée pourra mieux assimiler. Appliquez-la doucement sur tout le visage, le cou et le décolleté; la peau y est fine et ride facilement, mieux vaut prévenir que guérir ! Pour le contour des yeux, on utilise une autre crème spécialement conçue pour cette région délicate. Après tout, c'est l'endroit où la peau est la plus fine !

À cette routine de base, on peut bien sûr ajouter d'autres soins selon nos besoins. Je pense ici à un traitement antiacné localisé, à appliquer avant sa crème hydratante. Si vous utilisez un sérum (aussi connu sous le nom de « concentré d'ingrédients actifs » !), employez-le entre le tonique et la crème hydratante, qui viendra le sceller.

POURQUOI FAUT-IL
SE DÉMAQUILLER ?

Un jour, j'ai entendu une mère dire à sa fille que si elle souhaitait commencer à se maquiller, elle devait s'acheter un démaquillant en même temps. Selon moi, c'est la bonne attitude à adopter ! Le maquillage et le démaquillage vont de paire. Autrement, on appelle ça du maquillage permanent, mais ça c'est une autre histoire !

Croyez-moi, après 8 heures et plus passées sur votre peau, le maquillage a bien hâte d'être retiré ! Il crée une couche de protection sur la surface de la peau, obstruant temporairement les pores. Il est important de se démaquiller le soir venu pour permettre à la peau de respirer à nouveau. C'est le soir que votre peau se régénère : voulez-vous qu'elle le fasse en absorbant toutes sortes de saletés ? Je ne pense pas. De plus, puisqu'il faut hydrater votre peau aussi le soir, vous n'aurez pas le choix de la nettoyer avant pour une absorption optimale des soins !

4 BONNES RAISONS POUR SE DÉMAQUILLER

1. Risque d'infection aux yeux

Si vous gardez votre maquillage la nuit, au réveil, non seulement vous devrez démaquiller les résidus restants, mais il se peut également que vos yeux soient plus secs, rouges ou irrités. Pire, vous risquez de faire une infection, comme la conjonctivite par exemple.

2. Perte de cils

Porter du mascara à toute heure du jour et de la nuit n'est pas conseillé. Les produits chimiques présents dans le mascara n'ont rien de très doux pour les cils... Démaquillez-vous doucement le soir venu, avec un produit adapté. Les démaquillants biphasés contiennent de l'huile qui dissout le maquillage résistant à l'eau sans effort. Si vos yeux sont sensibles, essayez les eaux démaquillantes apaisantes aux bleuets. Finalement, pour les peaux matures, privilégiez les laits ou les baumes démaquillants qui ont une texture plus riche.

3. Irritation de la peau

Eh oui ! Quelqu'un qui commet souvent l'erreur de ne pas se démaquiller le soir risque de causer du tort à sa peau. Porter des produits pour le teint sans arrêt risque de sensibiliser la peau à long terme. Les fonds de teint, cache-cernes, poudres (et j'en passe) assèchent l'épiderme si on ne les retire pas avant d'aller se coucher. De plus, votre peau irritée risquerait de développer une sensibilité accrue...

4. Boutons et points noirs

Un autre ennemi à surveiller lorsqu'on ne se démaquille pas : les boutons. Le maquillage et les saletés (dues à la pollution et compagnie) ne devraient pas vous suivre jusqu'à l'oreiller. Autrement, votre peau risque de les absorber pendant votre sommeil ! Le lendemain, vous pourriez vous retrouver avec quelques imperfections, incluant des points noirs. Le maquillage est une des causes principales des points noirs et des pores bouchés, alors prenez garde !

AVEZ-VOUS LA PEAU SENSIBLE ?

Beaucoup de femmes déclarent avoir la peau sensible. Plusieurs facteurs internes et externes influencent cette sensibilité et il faut savoir qu'il existe différents niveaux de peau sensible. Moi, par exemple, j'ai une peau légèrement sensible. Elle n'est pas du tout réactive aux produits, mais elle subit les changements de température et rougit facilement. À mes débuts comme cosméticienne, j'ai appris que les peaux sensibles se divisent en **4 catégories de réactivité**.

FACTEURS EXTERNES

Environnement

Si votre peau réagit lors des changements de température soudains, vous avez peut-être une peau sensible. La pollution, le vent et le soleil peuvent également influencer la sensibilité de votre peau.

Contact

Si plusieurs produits cosmétiques font réagir votre peau (elle peut rougir, chauffer, démanger, s'assécher, etc.), il peut s'agir d'une allergie ou d'une intolérance aux produits parfumés, par exemple.

FACTEURS INTERNES

Vasculaire

Êtes-vous le genre de personne qui a toujours le visage rouge ? Les vaisseaux sanguins dilatés dans le visage (comme la couperose) sont un signe de peau fragile. Les peaux qui rougissent à cause des mets épicés et de l'alcool sont également des peaux sensibles avec une réactivité d'originale vasculaire.

Atopique

Les peaux atopiques sont des cas de peau sensible plus rares. Ce sont des peaux qui peuvent êtes très sèches avec de la desquamation ou qui présentent de l'eczéma.

Si vous vous reconnaissez dans une ou plusieurs catégories mentionnées ci-dessus, votre peau est probablement sensible ! Chez certaines femmes, on le détecte à l'œil ou au toucher : la peau est sèche, rouge, desquame, etc. Mais chaque femme est unique ! Le mieux est de demander une analyse de peau à une professionnelle, comme une esthéticienne ou une dermatologue qui saura mieux que quiconque vous conseiller. La sensibilité de l'épiderme peut augmenter si on n'en prend pas bien soin — soyez toujours douce et à l'écoute de votre peau !

CONFESSIONS DE Cycy

ADOLESCENCE, PUBERTÉ ET BOUTONS...

Beaucoup de gens commentent mes vidéos sur YouTube et me demandent mon secret pour avoir une belle peau. Je constate que c'est vraiment au cœur des priorités des jeunes filles, tout comme des femmes. Les boutons agacent, dérangent, complexent... Je me considère chanceuse ; je n'ai jamais eu d'acné ni de graves problèmes de peau. J'ai un souvenir lointain de moi vers l'âge de 11 ans avec un peu de boutons dans le visage, mais qui n'étaient pas rouges et visibles, donc ça ne me gênait pas vraiment. J'ai eu ma puberté très jeune, durant l'école primaire. En 4ᵉ année (9 ans), j'ai eu la visite de mère nature et j'ai eu mes règles ! Encore toute jeune, je ne l'ai pas bien accepté. Je me sentais différente. J'étais développée, grande pour mon âge (aujourd'hui, ça ne se voit plus !) et j'avais la peau mixte avec des boutons. Je me souviens de discussions entre filles dans la cour d'école sur nos problèmes de peau... Une amie me conseillait de mettre du dentifrice sur mes boutons pour les assécher. Il y avait des débats sur les trucs de grand-mère, on se partageait tous nos bons trucs, on voulait vraiment s'entraider puisque c'était nouveau pour nous toutes ! Je m'ennuie du primaire, c'était le bon temps.

C'est à cette époque que j'ai commencé à prendre soin de ma peau. Je me nettoyais le visage une fois par jour avec un gel moussant et j'avais même acheté une petite brosse pour la peau, influencée par ma meilleure amie. Mon médecin de l'époque m'avait prescrit une crème pour mes boutons, que j'appliquais une fois par jour. J'ai souvenir

qu'elle agissait moyennement bien... preuve que les hormones l'emportent parfois sur les produits ! Bref, c'était ma première routine visage, toute simple. J'ai commis une erreur fréquente, celle de ne pas hydrater mon visage. J'ai commencé quelques années plus tard, mais c'est toujours bien de commencer jeune pour préserver et protéger l'éclat de la peau. Adolescente, mon médecin m'a prescrit la controversée pilule contraceptive pour soulager mes douleurs menstruelles, qui étaient plutôt intenses. Pour « faire d'une pierre deux coups », elle m'avait aussi mentionné que ça ferait disparaître le reste de mes boutons. J'ai été surprise de voir qu'elle avait raison ! Depuis ce jour, les boutons se font rares. J'en ai un qui apparaît de temps en temps l'été ou avant mes règles, mais encore une fois, je suis chanceuse ! Ma peau mixte s'est équilibrée avec le temps, ce qui aide également.

Au fond, soyez patientes et prenez soin de vous. L'adolescence est un moment ingrat dans nos vies ; on change et on n'aime pas ça au début, mais c'est souvent bénéfique par la suite !

La médecine a peut-être aidé, mais j'ai toujours pris soin de ma peau et j'aime penser qu'elle me le rend bien !

LES **POINTS NOIRS**

On adore les détester ! On leur fait la guerre, sur notre visage ou celui de notre amoureux. Ils apparaissent généralement dès la puberté et ils sont un casse-tête à faire disparaître. Vous les trouverez généralement sur et autour du nez, sur le front et le menton. Les peaux grasses sont sujettes aux points noirs, tout comme aux boutons. Tour d'horizon sur ces petits intrus très communs.

QU'EST-CE QUE C'EST ?

Des pores obstrués qui, au contact de l'air ambiant, s'oxydent, d'où leur couleur noire que l'on voit sur la partie supérieure. Une fois extraits, vous remarquerez que la partie qui était cachée sous la peau est généralement blanchâtre ou jaunâtre. Les points noirs sont le résultat d'une surproduction de sébum; lorsque ceci arrive, les bactéries commencent à s'accumuler dans les pores, causant parfois des boutons. Les points blancs, au contraire, apparaissent lorsque le sébum et les bactéries n'ont pas de porte de sortie sur la peau. Malgré l'adolescence, le type de peau, l'hygiène et les autres facteurs, le maquillage peut contribuer à les faire apparaître.

COMMENT S'EN DÉBARRASSER ?

Avant toute chose, je dois vous prévenir que pour se débarrasser des points noirs, il faut être constante et persévérante. Si vous ne faites rien, c'est un peu comme la cellulite, ça revient sans cesse ! Le mieux serait de rendre une petite visite à votre esthéticienne qui vous expliquera les bons gestes et ceux à éviter lorsque vient le temps de toucher sa peau. Les professionnelles savent extraire les points noirs, traitement normalement compris dans un soin facial de base.

Chez soi, il faut penser d'abord à toujours se démaquiller le soir. Sinon, le maquillage obstrue les pores et la saleté s'accumule. Laver son visage une fois par jour est également conseillé. Vous pouvez faire un gommage ou un masque purifiant sur les zones à problèmes, mais tant que le point noir n'est pas extrait, il n'est jamais bien loin ! Certaines femmes apprécient les brosses pour le visage (manuelles ou électriques) pour leur efficacité, car leurs soies extrêmement fines permettent un meilleur nettoyage des pores.

Il existe les fameuses bandes pour points noirs vendues en pharmacie, qui donnent des résultats plus ou moins bons. Sur les peaux grasses, l'effet papier mâché est efficace, car les pores sont ouverts, mais sur les peaux sèches ou normales, les pores sont tellement serrés qu'il est difficile d'y accéder ! Les recettes maison que vous trouverez en abondance sur Internet ne fonctionnent pas non plus pour tout le monde...

Il y a 2 choses qui ont bien fonctionné dans mon cas (et celui de mon copain !) : des éponges konjacs et des produits à base de bave d'escargot. Si vos yeux viennent de s'écarquiller, c'est tout à fait normal. Ce type de produit est plus populaire en Asie ; là-bas, on offre même des soins faciaux avec des escargots ! Leur bave est tout à fait magique et la liste de ses bienfaits est longue ! La bave d'escargot est antibactérienne et régénère la peau, ce qui en fait un excellent soin antiacné, antiâge et j'en passe. J'étais sceptique au début, mais le gel nettoyant à base de bave d'escargot a bel et bien éliminé mes points noirs, rapidement.

Les éponges konjacs, également populaires en Asie, sont abordables, économiques (elles durent 3 mois) et douces pour toutes les peaux ! Elles offrent une mini exfoliation et aident à combattre les points noirs. On les utilise seules ou avec notre nettoyant favori.

LES BOUTONS

La plupart d'entre nous les avons connus. Ils sont ronds, petits ou gros, rouges ou blancs, et inesthétiques ! Les boutons, véritable fléau de la peau, touchent un haut pourcentage des adolescents. Ils sont parfois durs à éliminer malheureusement, ce qui peut entraîner toutes sortes d'émotions négatives lourdes à vivre au quotidien.

BOUTONS PASSAGERS OU ACNÉ ?

Il existe différents types de boutons et lorsque ceux-ci sont nombreux et constamment présents, il est question d'acné. Un cas typique d'acné serait une adolescente à la peau grasse, qui aurait des boutons sur le visage mais également sur le dos. On peut aussi simplement avoir des boutons de temps à autre, à l'adolescence seulement ou durant toute sa vie.

LES CAUSES

Il y en a plusieurs, et encore aujourd'hui, les spécialistes ne s'entendent pas. Certaines causes sont avancées : la génétique, l'alimentation, le bronzage, etc. Normalement, les premiers boutons apparaissent à la puberté, ce qui validerait la cause hormonale. Plus encore, il n'est pas rare de voir des filles avoir de soudaines poussées avant ou durant leurs règles. Certains spécialistes avancent qu'une mauvaise hygiène de la peau cause l'apparition de l'acné, mais c'est faux. Bien prendre soin de sa peau aide toujours, mais il ne faut pas confondre boutons et peau sale !

LES TRAITEMENTS

Si vos boutons vous dérangent vraiment, consultez un spécialiste . Un dermatologue pourra mieux vous informer sur les causes et les traitements. L'acné doit être traitée par un spécialiste si vous voulez vous en débarrasser le plus vite possible. Un médecin peut vous prescrire des crèmes spécifiques ou des médicaments, selon la gravité de votre cas.

Les boutons passagers sont relativement faciles à faire disparaître. On ne recommande pas de les percer, car la peau risque d'être marquée de cicatrices, entre autres. Lavez toujours vos mains avant de vous toucher le visage, et après ! Si vous ne pouvez résister à la tentation de percer un bouton, utilisez une lingette humide chaude que vous appuierez doucement dessus.

TRUCS DE GRAND-MÈRE

- **Le dentifrice.** Il assèche le bouton mais aussi la peau, alors à utiliser en cas d'urgence seulement, la nuit.

- **Les gouttes pour les yeux.** Étonnamment, les gouttes lubrifiantes pour les yeux rougis peuvent aussi agir sur la rougeur des boutons !

- **Le miel.** Il possède des propriétés antibactériennes, des enzymes et des antioxydants super efficaces. Choisissez-le non pasteurisé, pur et organique.

- **L'huile de théier.** Reconnue pour ses bienfaits contre les imperfections, l'acné et la peau grasse, vous trouverez cette huile essentielle dans les magasins d'aliments naturels.

LES CERNES ET LES POCHES

Comme c'est le cas avec les boutons, la majeure partie des femmes sera touchée un jour par les cernes. Cette coloration foncée sous les yeux est inesthétique et peut être gênante, pour les femmes comme pour les hommes. Il y a aussi les poches, qui sont un peu le contraire des cernes. Démêlons tout ça ensemble !

CERNÉE OU POCHÉE ?

Avoir des cernes signifie que la zone sous les yeux, surtout au coin interne, est plus foncée que la peau. Les teintes varient, mais les cernes sont généralement bleutés, violacés, rougeâtres ou encore brunâtres. En plus d'être coloré, le cerne peut être creux. L'effet 3D est plus difficile à corriger avec du maquillage.

Une poche est plutôt un renflement sous l'œil, qu'on détecte bien en penchant le visage devant un miroir. Contrairement au cerne qui est creux et teinté, la poche est bombée et de la couleur du teint. Les poches sont souvent associées aux yeux ronds ou globuleux. C'est souvent génétique et c'est un problème qui s'aggrave généralement avec l'âge.

TRAITER LES CERNES

Le manque de sommeil peut aggraver l'apparence des cernes ; mais parfois, même après avoir dormi 12 heures, ils persistent. Pourquoi ? Selon certains spécialistes, il s'agirait d'un problème de toxines ! L'hérédité, les habitudes de vie malsaines, une mauvaise circulation sanguine et le sommeil restent néanmoins les causes les plus directes. Les cernes paraissent toujours plus marqués sur des peaux très claires ou légèrement transparentes. On voit alors plus les vaisseaux sanguins, les veines, etc. Cependant, certaines peaux plus foncées sont sujettes aux cernes bruns. Il ne s'agit pas du même problème ; c'est ce qu'on appelle « l'hyperpigmentation ». Ça se traite avec des crèmes éclaircissantes ! Pour les cernes, il existe des crèmes contour pour les yeux et des traitements plus dispendieux, plus ou moins efficaces selon les cas. J'aime bien créer des recettes maison qui s'avèrent efficaces et peu coûteuses !

Truc # 1 : Cuillère froide

Laissez une petite cuillère au frigo le soir, et au matin, réchauffez-la dans vos mains avant de la passer sur vos cernes en massant. Le froid active la circulation sanguine et aide à défatiguer le regard !

Truc # 2 : Eau de bleuet

De l'eau de bleuet pure achetée au magasin d'aliments naturels, c'est magique en compresse sur les yeux ! Ça apaise, décongestionne et défatigue. Si vous n'en avez pas, vous pouvez utiliser des sachets de thé vert infusés et refroidis.

TRAITER LES POCHES

Si elles sont dérangeantes, il existe des traitements ou des chirurgies en clinique d'esthétique qui « dégonflent » les poches. En dépit de la génétique, vous pouvez toujours essayer les conseils suivants :

- Évitez de mettre trop de crème contour des yeux… ou d'en mettre trop près des yeux ! Ça fait gonfler les paupières pendant la nuit.

- Buvez beaucoup d'eau. Les poches sont un phénomène de rétention d'eau et pour le combattre… il faut boire plus d'eau ! C'est aussi conseillé pour les cernes.

- Pour combattre le relâchement de la peau à cet endroit, appliquez des crèmes contour des yeux raffermissantes.

Truc # 1 : Masser

Eh oui ! Le meilleur truc pour diminuer les poches est de les masser doucement. Utilisez vos doigts, ou un soin contour des yeux avec un embout masseur et une texture de gel. Les billes de métal froides activent la circulation !

Truc #2 : Le concombre

Vieux truc de grand-mère : le concombre est super efficace pour rafraîchir, apaiser et décongestionner l'œil ! Posez-le de 5 à 15 minutes sur vos paupières, en vous reposant.

BEAUTÉ - LE VISAGE

S.O.S. PEAU SÈCHE !

Votre peau tiraille, desquame ? Il y a 2 causes possibles : soit elle est sèche, soit elle est déshydratée. Ce sont 2 choses différentes à bien analyser. La peau sèche est **un type de peau** tandis que la peau déshydratée est **un état (passager)**. Pour résumer simplement, la peau sèche manque **d'huile** et la peau déshydratée manque **d'eau**. Dans les 2 cas, on peut ressentir des tiraillements, ce qui porte souvent à confusion. Si une femme à la peau sèche oublie de s'hydrater, l'inconfort ne tardera pas à se faire sentir. L'huile et l'eau doivent être bien équilibrées dans l'épiderme pour obtenir le même confort qu'une peau normale. Avec les bons produits et quelques variantes dans votre routine de soins, il est généralement facile de régler les cas de peau déshydratée (hourra !). Pour les peaux sèches, il suffit de mettre en pratique les conseils suivants.

Une personne qui a la peau sèche, voire très sèche, devra être constante au niveau de sa routine et attentive lorsque vient le temps de choisir ses produits. Il faut privilégier les texture riches comme les baumes, surtout l'hiver, pour protéger ! Ces crèmes sont riches en ingrédients nourrissants et aideront à renforcer le film hydrolipidique de la peau. Lorsque les crèmes ne suffisent pas, il faut penser à ajouter un sérum à la routine. On peut aussi faire un masque hydratant **1 à 2 fois par semaine**, qu'on laisse agir toute la nuit, et on évite de laver trop souvent son visage entretemps !

Un produit sous-estimé est l'eau thermale en aérosol, que vous trouverez dans toute bonne pharmacie. C'est une eau pure, riche en minéraux, qui ne veut que du bien à votre peau ! L'eau du robinet est dure ; essayez de la remplacer par l'eau thermale pour rincer vos produits. Utilisez-la **chaque jour** avant l'hydratation et vous constaterez une différence au niveau de la qualité de votre peau. Plus forte, elle sera également plus belle. Dans un autre ordre d'idées, pensez à bien vous protéger du soleil, car non seulement il assèche la peau, mais il la fait également vieillir plus vite... La peau sèche est fine et marque facilement. En théorie, une personne à la peau grasse ridera moins vite et moins intensément qu'une autre à la peau sèche, ainsi est faite la vie. Prenez des notes !

 Attention à l'eau chaude. Comme elle assèche, allez-y doucement sous la douche et en lavant votre visage.

Utilisez des huiles démaquillantes plutôt que des eaux démaquillantes. Elles enlèvent parfaitement tout le maquillage et laissent la peau douce, repulpée et confortable !

Gommez votre peau doucement pour enlever les petites peaux mortes qui ternissent le teint et nuisent à la pénétration des produits. Essayez cette recette simple que j'adore : mélangez un peu d'huile d'amande douce à de la cassonade et passez cette mixture sur votre visage humide, en mouvements circulaires. Rincez et admirez !

LES PRODUITS ANTIÂGE
QUAND FAUT-IL COMMENCER ?

Ni trop jeune, ni trop vieille ! C'est normalement vers le début de la trentaine qu'on commence à voir apparaître les premiers signes de l'âge : ridules, teint qui peut sembler plus terne, peau assoiffée, cernes ou poches plus prononcés, etc. Entre 10 et 20 ans, normalement la peau est encore belle et jeune et nécessite peu de soins. Il faut miser sur l'hydratation pour conserver l'éclat de jeunesse de la peau et traiter les imperfections au besoin. L'industrie des cosmétiques conseille généralement de se tourner vers les premiers soins antiâge vers 30 ans.

30 ANS ?
MAIS JE PARAIS BEAUCOUP PLUS JEUNE...

Plusieurs facteurs physiques font en sorte qu'on ne vous donne pas votre âge. La forme de votre visage et ses traits (plus ils sont ronds, plus ça vous rajeunit, inconsciemment) ainsi que la texture de votre peau (plus elle est fine/sèche, plus elle marque facilement) jouent sur la perception. Les peaux grasses « baignent » dans le sébum et sont souvent plus épaisses, ce qui les fait rider moins rapidement qu'une peau normale ou sèche. Notez également que l'ethnie joue un rôle dans la perception de l'âge : les peaux asiatiques ou noires sont généralement plus épaisses, et auront donc l'air jeune plus longtemps. Bref, je pense que si vous n'avez aucun changement au niveau de votre peau à l'aube de vos 30 ans, vous avez encore quelques années devant vous avant de penser aux soins antirides.

40 À 50 ANS
RIDES ET FERMETÉ

Entre la quarantaine et la cinquantaine, on remarque souvent de nouveaux changements sur notre visage. Les rides d'expression et de déshydratation commencent à s'installer pour de bon et on peut même être sujette au relâchement de la peau. Certaines femmes sont plus concernées par les rides et d'autres par l'ovale du visage qui s'affaisse progressivement. Sur le marché, plusieurs crèmes et traitements sont offerts pour rajeunir la peau selon vos préoccupations, mais ils ont tous leurs limites... C'est pour cette raison qu'en matière de rides, je pense qu'il vaut toujours mieux prévenir que guérir ! Voir le passage sur la crème solaire à la page suivante.

60 ANS +

NOURRIR SA PEAU

Passé 50 ans, votre peau est considérée comme mature en cosmétique (ménopausée). Il faut se tourner à nouveau vers un autre type d'antiâge : les crèmes nourrissantes. En vieillissant, la peau s'assèche et perd de sa vitalité. Privilégiez les crèmes à la texture d'un baume pour retrouver confort et souplesse. Les crèmes hydratantes pour cette tranche d'âge ne s'attaquent plus vraiment au vieillissement de la peau, car celui-ci est déjà installé. Elles misent plutôt sur les effets nourrissants, hydratants et redensifiants.

VOTRE MEILLEURE ARME ANTIÂGE ? LA CRÈME SOLAIRE !

On pense souvent à la crème solaire comme moyen de défense contre les coups de soleil, mais en fait, elle fait beaucoup plus que ça ! La crème solaire lutte contre les UVB, mais également contre les UVA, responsables en grande partie du vieillissement prématuré de la peau. Quand on sait que **80 % du vieillissement de la peau est causé par le soleil**, au bout du compte, ça donne envie de se protéger !

Petit truc : pour qu'un soin antitaches fonctionne, il faut obligatoirement le combiner à un écran solaire. Sinon, les taches reviendront toujours puisqu'elles sont causées par le soleil.

COMMENT AVOIR DES
DENTS PLUS BLANCHES

En beauté, il existe des choses qui ne se démodent jamais. Avoir des cils plus longs et des dents plus blanches en sont 2 exemples. Avant, on associait beaucoup les dents blanches aux gens riches et célèbres, mais elles sont en fait plus accessibles qu'on pourrait le croire. Évidemment, si vous recherchez un blanchiment sécuritaire et de qualité, n'hésitez plus et rendez visite à votre dentiste ! C'est la façon la plus sûre et la plus durable, mais également la plus dispendieuse. Voici quelques alternatives, testées et approuvées par moi !

AVANT

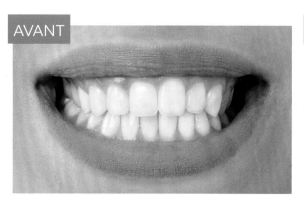

APRÈS

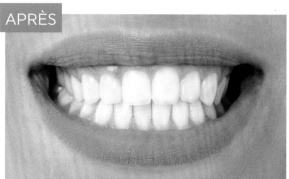

BANDES ET GELS BLANCHISSANTS

Vous en trouverez en pharmacie et dans les magasins à grandes surfaces, à toutes sortes de prix. Les bandes sont généralement les plus simples à utiliser, permettant une application rapide et sans dégâts. On peut les porter discrètement chez soi et le temps de pause est assez court (5 à 20 minutes). Personnellement, il s'agit de ma méthode préférée. Il y a aussi des trousses contenant un gel blanchissant à utiliser avec un protège-dents pour une efficacité maximisée. Le temps de pause varie de 5 à 60 minutes.

BLANCHIMENT MAISON À MOINDRE COÛT !

Fraises et jus de citron - L'acide malique contenu dans les fraises peut aider à blanchir les dents. Frottez-les sur les dents, coupées, seules ou avec du bicarbonate de soude, pour atténuer les taches de surface. Le jus de citron, quant à lui, est réputé pour ses propriétés éclaircissantes. On peut aussi l'utiliser en concoction pour blanchir les dents, mais le résultat est limité. Les fraises et les citrons sont plus acides donc néfastes pour les dents à long terme. N'en abusez pas !

Bicarbonate de soude - On en trouve dans certains dentifrices, ce n'est pas pour rien ! Vous pouvez essayer d'en ajouter un peu sur votre pâte à dents en vous brossant les dents pour aider à les blanchir. Le bicarbonate de soude, seul ou combiné, aide à polir doucement la surface de la dent pour éliminer les taches de surface. Mélangé à de l'eau, il devient basique, mais évitez de boire ou manger dans la demi-heure qui suit son application.

Peroxyde d'hydrogène - On trouve de l'eau oxygénée en pharmacie et elle ne coûte presque rien. C'est le principal agent blanchissant des bandes et des gels blanchissants. Employez-la avec le bicarbonate de soude pour former une pâte que vous laisserez agir 3 minutes par jour sur vos dents. Après 1 semaine, vous devriez déjà voir de bons résultats ! Attention, il faut choisir une concentration entre 0,1 % et 3 % maximum et éviter d'en appliquer sur les gencives (ça pourrait les brûler).

Peu importe la méthode utilisée, il va sans dire qu'il faut uniquement pratiquer le blanchiment sur des dents en santé. Si vous avez des caries, des problèmes de dents ou de la sensibilité dentaire, consultez votre chirurgien dentiste avant tout. Le blanchiment ne doit pas être fait à outrance, sans quoi l'émail des dents pourrait être fragilisé, et la sensibilité accrue. Évitez aussi, après les traitements et à long terme, tout ce qui peut jaunir les dents comme le thé, le café, le vin, la cigarette, etc.

TEINT ÉCLATANT !

Il nous arrive à toutes de temps à autre d'avoir la mine un peu grise. Ça peut être causé par un manque de sommeil ou un manque d'exercice physique, les changements de saisons et plusieurs autres choses. Qu'à cela ne tienne, avec quelques conseils beauté, vous pourrez toujours tricher ! En dernier recours, un peu de fard à joues, de poudre bronzante et d'illuminateur feront l'affaire.

1. Exfoliez

Les peaux mortes ternissent le teint en plus de nuire à la pénétration des produits de soins. Le gommage permettra de les retirer, rendant votre peau plus lumineuse et fraîche ! Il activera aussi la circulation sanguine, donnant une jolie teinte rosée à votre peau.

2. Rincez

Rincez le produit à l'eau tiède/chaude, puis terminez avec de l'eau froide. Elle active la circulation sanguine et resserre les pores de la peau.

3. Hydratez

Une peau terne est généralement sèche et peut même desquamer. En l'hydratant, les ridules se gorgeront d'eau et la peau sera repulpée. Votre teint, plus lumineux, paraîtra plus jeune et plus en santé !

Vous pouvez remplacer la dernière étape par des ampoules à effet tenseur. On masse le liquide sur la peau propre et en quelques minutes, la peau est défroissée, plus lisse. À vous les teints éclatants !

À SAVOIR

ENTRETIEN DES SOURCILS

Pour un regard sophistiqué, rien de mieux que des sourcils soignés ! Suivez ces quelques conseils pour être au poil.

ÉPILATION

Une fois que notre ligne de sourcils est créée par une professionnelle, on doit l'entretenir soi-même. On enlève les poils superflus qui s'éloignent de notre ligne de sourcils avec une pince à épiler. Je conseille de le faire en sortant de la douche, alors que les pores de la peau sont plus dilatés ; ce sera moins sensible. Selon la nature des poils, un nettoyage sera nécessaire tous les **2 à 4 jours.** Notez qu'il est aussi possible d'épiler ses sourcils au fil (technique indienne) ou à la cire, entre autres. La cire donne un résultat très net et durable !

COUPE

En plus de l'épilation, il peut parfois être nécessaire de couper les poils de sourcils qui deviennent trop longs. Sinon, ils seront difficiles à maquiller et à dompter. La technique ? On brosse bien vers le haut et on taille ce qui dépasse avec des ciseaux à manucure. Allez-y doucement : mieux vaut pas assez que trop ! À ne pas faire plus d'**une fois par mois** pour conserver de beaux sourcils.

TEINTURE

Il arrive parfois que la couleur des sourcils détonne avec la teinte (naturelle ou non) des cheveux. À ce moment-là, la teinture de sourcils devient indispensable ! On la fait faire au salon de coiffure ou dans un salon de beauté pour éviter toute erreur ou accident. On peut compter **2 à 3 semaines** avant le rendez-vous suivant.

MYTHES ET RÉALITÉS SUR LA PEAU

Il faut toujours s'hydrater en sortant de la douche. VRAI

Une majorité de spécialistes le conseille, étant donné que la crème scelle l'humidité qu'il y a sur la peau tout juste en sortant de la douche. C'est aussi conseillé après s'être rasé ou exfolié, car ces actions assèchent la peau. Bref, je suggère de vous hydrater au moins 1 fois le matin en sortant de la douche et 1 fois avant d'aller au lit.

Il n'y a rien qu'on puisse faire contre les cicatrices d'acné. FAUX

Bien qu'elles mettent beaucoup de temps avant de disparaître totalement, certains traitements atténuent leur apparence. Je pense à la microdermabrasion, par exemple, qui stimule la régénération cellulaire et exfolie la peau en profondeur. Certains aliments comme le miel, les pommes de terre et le jus de citron aident également à faire pâlir les taches restantes plus vite.

Se laver le visage 2 fois par jour est conseillé pour les peaux grasses. FAUX

Le problème des peaux grasses est qu'elles produisent trop de sébum. Certaines personnes seront tentées de se laver souvent le visage pour retrouver une sensation de propreté... Attention ! Plus on lave le visage, plus on agresse l'épiderme. Devinez comment la peau se défend ? En produisant plus de sébum ! C'est donc un piège à éviter.

La crème contour des yeux doit être appliquée sur l'os orbital. VRAI

Plusieurs femmes font l'erreur ; la crème contour des yeux doit être appliquée sur l'os orbital et non sur les paupières. La crème, riche, se rendra par elle-même là où il le faut. Aussi, évitez d'en appliquer en trop grande quantité, sinon gare aux poches !

Il faut que tous les produits pour nos soins soient de la même marque. VRAI ET FAUX

Il est vrai que choisir tous ses produits pour le visage, le corps ou les cheveux dans une seule et même marque peut être bénéfique. En effet, les produits ont été créés pour fonctionner en synergie, leurs ingrédients travaillant de paire. Cependant, ce n'est pas grave si votre masque pour le visage et votre crème contour des yeux ne sont pas de la même marque. Il faut savoir relativiser.

ASTUCES BEAUTÉ EN VRAC

1 Pour faire pousser les cils (ou les sourcils), on applique une goutte d'huile de ricin chaque soir avant de se coucher sur les cils propres. L'huile, riche en acides gras essentiels, aide à nourrir le poil, qui repoussera plus fort et plus beau. Les résultats surviennent après quelques semaines ou quelques mois.

2 Pour des lèvres toutes douces et souples, essayez la recette suivante : mélangez une goutte de miel à un peu de cassonade. Passez la mixture sur votre bouche en petits mouvements circulaires et rincez... ou léchez !

3 Si vous ne pouvez résister à l'envie de percer un bouton, appuyez doucement une serviette chaude sur celui-ci. Percez-le doucement avec la serviette et vous ne risquerez pas d'avoir une cicatrice !

4 Épilez vos sourcils tout juste en sortant de la douche ; les pores seront ouverts, et vous aurez plus de facilité et moins de douleur en retirant les poils.

5 Conservez votre masque hydratant toute la nuit si votre peau a besoin d'un petit regain d'hydratation. Vous vous réveillerez avec une peau de bébé !

6 Pour un démaquillage naturel tout en douceur, essayez de mélanger une part d'huile d'amande douce avec une part d'eau d'hamamélis et une part d'eau filtrée. L'eau d'hamamélis purifie et apaise la peau tandis que l'huile démaquille efficacement et nourrit l'épiderme.

7 Tout le monde devrait avoir une eau thermale chez soi. Ça apaise la peau, calme les coups de soleil et les rougeurs, rafraîchit, etc. Mais le plus important, c'est qu'avec un usage continu, la peau devient plus forte et plus belle !

8 Pour faire disparaître les taches de soleil et les taches de rousseur récentes, essayez le jus de citron. Il a des propriétés éclaircissantes, tant pour la peau que pour les cheveux. Personnellement, j'en applique à l'aide d'un coton-tige sur les taches qui me dérangent et le tour est joué !

9 Les eaux florales font de très bons toniques. Essayez l'eau de lavande si votre peau est grasse (ou à tendance acnéique), l'eau de rose si vous cherchez un bon antiâge naturel, ou encore l'eau de fleur d'oranger si votre peau est normale à sèche.

10 Vous pouvez faire vos propres bandes pour retirer les points noirs. Mélangez une part de gélatine (sans saveur) avec une part de lait et une goutte d'huile essentielle de lavande. Appliquez la mixture aux endroits désirés et patientez jusqu'à ce que le mélange sèche. Retirez doucement, en partant du bas vers le haut. Rincez à l'eau froide et admirez !

LE CORPS

PEAU SÈCHE ET ECZÉMA

Tout comme la peau du visage, la peau du corps a besoin d'être chouchoutée. Si elle n'est jamais hydratée et nourrie, elle peut tirailler, rider plus vite et avoir un aspect « peau de croco ». Il faut lui obtenir les lipides nécessaires à son confort, 1 à 2 fois par jour, comme vous préférez. En sortant de la douche et avant de me coucher sont mes 2 moments préférés !

3 ASTUCES POUR LUTTER CONTRE LA PEAU SÈCHE

Évitez les douches chaudes

Même si c'est agréable, ça dessèche grandement la peau. Évitez du même coup les bains chauds avec des produits moussants qui ont également tendance à assécher... Tapotez la serviette sur votre peau pour la sécher, mais ne frottez pas !

Protégez-vous !

L'hiver, les grands froids n'ont pas de pitié pour la peau sèche. Bien s'hydrater constitue une couche de protection contre le vent et la température qui chute. Encore une fois, il vaut mieux prévenir que guérir ! Essayez les textures de baume et privilégiez les soins antidémangeaison.

Utilisez les bons produits

Si votre peau est très sèche, portez une attention particulière aux produits que vous utilisez. Le gel douche « classique » parfumé qui mousse beaucoup ne convient pas à tout le monde... Pour les peaux sèches et sensibles, il faut visiter le rayon des produits dermocosmétiques à la pharmacie. Vous trouverez des nettoyants pour le corps non irritants, qui sont relipidants. J'aime bien les huiles nettoyantes. Elles ne moussent pas beaucoup, mais elles ont la texture idéale pour l'hiver ou les peaux très sèches !

PEAUX ATOPIQUES ET ECZÉMA

Il existe une autre catégorie de peau encore plus délicate que la peau sèche : les peaux atopiques. Ce sont des peaux génétiquement prédisposées aux allergies, qui sont inconfortables et facilement réactives. L'eczéma, par exemple, est un problème de peau qui doit être suivi par un médecin. Il existe différents niveaux, allant de la simple démangeaison aux plaques de sécheresse. Les 3 conseils ci-dessus vous aideront et j'ajouterais à cela d'utiliser de l'eau thermale pour calmer les envies de se gratter. Investissez dans de bons produits pour peaux sensibles si votre peau vous cause des problèmes... elle vous remerciera plus tard !

LA CELLULITE

Elle va toucher pratiquement **9 femmes sur 10** au cours de leur vie… c'est beaucoup ! Il faut savoir que la cellulite n'a aucun lien avec le poids : on peut être mince ou plus enrobée et en avoir. En gros, il s'agit de la façon dont les cellules adipeuses sont faites : trop développées, le collagène qui les entoure se plie, créant ainsi cette texture matelassée, comme de la peau d'orange. Les poches de graisse sous la peau font de la pression sur les tissus conjonctifs.

La cellulite connaît **3 niveaux**, allant de **non visible** (sauf si on pince la peau) à **visible** en toutes circonstances. Elle peut être douloureuse, mais elle est surtout inesthétique et souvent, elle nuit à l'estime de soi. Plus on en a, plus c'est difficile de la faire partir. C'est pratiquement impossible de s'en débarrasser totalement et elle revient toujours si on ne s'en occupe plus.

LES CAUSES

1. Le sexe féminin

La cellulite est un problème typiquement féminin, parce que l'œstrogène est l'une des principales causes. Les hommes ne sont pratiquement pas touchés, ces veinards ! Généralement, la cellulite apparaît à la puberté et certains spécialistes croient qu'il y a peut-être un lien avec la pilule contraceptive.

2. L'hérédité

Si votre mère avait quelques soucis avec ses jambes, qu'il s'agisse de rétention d'eau, de capitons, etc., il se peut que vous en souffriez également. Malheureusement, on ne peut pas gagner contre la génétique !

3. L'alimentation et l'exercice

On peut avoir de la cellulite même en mangeant bien et en faisant de l'exercice. Cependant, ça ne peut pas nuire ! Avoir une vie saine et équilibrée aide à ne pas emmagasiner inutilement du gras et réduit donc le risque d'avoir de la cellulite.

4. La physionomie

Certaines personnes ont tendance à emmagasiner le gras dans le haut du corps, d'autres dans le bas. On a toutes un métabolisme différent. Tout comme pour la génétique, on ne peut rien y faire. Connaître son type de morphologie (endormorphe, ectomorphe, mésomorphe) peut aider à comprendre et à accepter son corps.

LES SOLUTIONS

Mieux manger et bouger plus. Limiter les sucres, le gras et le sel peut aider, mais ça ne réglera pas le problème. Même chose pour le sport et les exercices fréquents. Un ensemble d'actions est nécessaire pour chasser la cellulite.

Masser. Ça active la circulation sanguine et ça draine le système lymphatique. On peut faire le mouvement de palper-rouler pour tenter de déloger la graisse prise sous la peau. Toujours suivre avec un mouvement de pompe, les 2 mains reliées autour de la jambe, de bas en haut.

Traiter. Pour traiter leur problème de cellulite, les femmes se tournent souvent automatiquement vers les crèmes spécialement conçues à cet effet. Cependant, elles font rarement leurs preuves et ne fonctionnent pas pour tout le monde. Je pense qu'il faut une action mécanique pour déloger le gras sous la peau ; à l'heure actuelle, une crème ne peut le faire à la place des mains ou d'un outil. D'ailleurs, en salon d'esthétique, plusieurs traitements sont offerts et bien qu'ils fonctionnent généralement bien à court terme, ils sont très dispendieux.

La solution miracle ? Il n'y en a pas. Chaque femme a un corps différent et il faut expérimenter pour trouver ce qui fonctionne le mieux dans chaque cas. Je pense malgré tout qu'il faut essayer d'appliquer tous les conseils ci-dessus pour prévenir l'apparition de la peau d'orange et la traiter du mieux possible. Diminuer sa cellulite, ça demande beaucoup de temps et une régularité continue. Le mieux reste bien évidemment de tenter d'accepter son corps comme il est !

BYE BYE, POILS !

Bien qu'ils aient une fonction spécifique pour le corps, on trouve souvent les poils inesthétiques. Heureusement, il existe de nombreuses méthodes pour s'en débarrasser ! Épilation, rasage, teinture… petit tour d'horizon sur les différentes techniques.

* Renseignez-vous bien avant de commencer tout traitement. Respectez les directives de l'esthéticienne et informez-la de tout inconfort ou questions que vous pouvez avoir. Il est crucial de choisir une clinique où vous vous sentirez en confiance. Une référence d'une amie, c'est encore mieux ! Vérifiez toujours la propreté des appareils et ne vous laissez pas berner par les offres trop alléchantes. Parfois, l'équipement est désuet ou le personnel manque d'expérience. C'est votre peau et si vous ne voulez pas qu'elle finisse abîmée, c'est à vous de bien mener votre enquête au préalable.

RASAGE

Il s'agit de la façon la plus populaire, la plus pratique et la moins douloureuse. Je vous conseille d'investir dans un bon rasoir, car ceux plus bas de gamme peuvent parfois irriter la peau. Petit truc : il n'est pas nécessaire d'acheter un gel à raser. Le gel douche, l'huile de bébé et même le revitalisant pour les cheveux fonctionnent à merveille !

Repousse : après 1 jour.

CIRE/BANDES DÉPILATOIRES

La cire reste une technique de choix pour épiler les poils. On peut le faire en salon ou chez soi à prix plutôt abordables. La réaction n'est pas très agréable, mais heureusement, la sensation de pincement disparaît vite. À éviter cependant si vous faites facilement des poils incarnés…

Repousse : après 2 semaines.

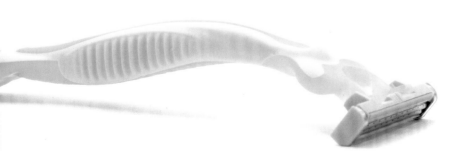

CRÈMES DÉPILATOIRES

Vous les trouverez en pharmacie, à prix raisonnable. Leur utilisation est rapide et sans douleur, mais il s'agit de produits relativement forts. On doit simplement appliquer la crème sur les endroits désirés, patienter le temps indiqué (généralement 10 minutes) et rincer ! À noter : elles fonctionnent mieux sur les poils fins et peu nombreux.

Repousse : après 4 à 7 jours.

LASER

Le laser ne convient pas à tous les budgets, mais il reste la technique d'épilation définitive ayant le mieux fait ses preuves. Cette technique peut être douloureuse : l'appareil attrape presque un à un les poils et les brûle à la racine. On peut ressentir une sensation de fort pincement voire de brûlure, mais on peut utiliser une crème anesthésiante préalablement. Heureusement, les sessions sont rapides : pour les 2 aisselles, par exemple, on peut compter 5 minutes de traitement au total.

Repousse : aucune après toutes les séances nécessaires (propre à chaque personne). Il reste seulement un petit duvet.

IPL/LUMIÈRE PULSÉE

La Lumière Intense Pulsée est une méthode d'épilation définitive populaire de nos jours. Par contre, elle ne convient pas à tout le monde : c'est réservé aux peaux claires qui ont des poils foncés. L'exposition au soleil durant le traitement est donc proscrite. La lumière est attirée vers la mélanine du poil ; elle se convertit ensuite en chaleur pour éliminer le follicule pileux. Les séances sont plus courtes, mais plus de rendez-vous au salon sont nécessaires puisque le traitement demeure moins intense que le laser.

Repousse : aucune après toutes les séances nécessaires. Environ 10 % des gens peuvent connaître une repousse de léger duvet.

ÉLECTROLYSE

L'ancêtre des méthodes d'épilation permanente ! Le principe est simple : un filament émet un courant électrique dans le bulbe pileux. Comme avec le laser, une désagréable sensation de brûlure peut s'ensuivre. Les coûts sont souvent plus abordables que le laser, mais les séances sont plus longues et plus nombreuses. C'est pour cette raison qu'on le conseille pour les petites zones. Un gros avantage de cette méthode est qu'elle peut être utilisée sur toutes les couleurs de peaux et de poils.

Repousse : aucune (épilation définitive).

À SAVOIR

LA PROTECTION SOLAIRE

La crème solaire, c'est un peu comme le casque de vélo : trop de gens l'abandonnent rendus à l'âge adulte. Pourtant, la crème solaire est le seul moyen efficace pour prévenir à la fois les coups de soleil, le vieillissement prématuré de la peau et le cancer de la peau.

SAVIEZ-VOUS QUE...

- Être bronzé signifie tout simplement que les dommages aux cellules ont déjà été causés ?

- La mélanine qui donne la teinte brune à la peau connaît son pic de production le soir ?

- On peut attraper des coups de soleil même en hiver ? Il faut faire attention sur les pistes de ski, par exemple, car la neige reflète les rayons !

- Les cabines de bronzage ont été reconnues comme étant cancérogènes ? Évitez-les !

- Le bronzage peut rendre accro ? C'est à cause de l'endorphine que le corps libère durant les séances.

- La peau qui a bronzé équivaut seulement à un FPS de 2 à 4 ?

UVA OU UVB ?

Votre crème solaire doit protéger contre les UVA et les UVB. On se trompe parfois entre ces **2 types de rayons**, mais voici un petit truc pour s'en souvenir ! UV**B** = **B**ronzage, UV**A** = **Â**ge. Les rayons UVB sont responsables du bronzage et des brûlures tandis que les UVA vieillissent la peau prématurément.

INDICE 15, 30... OU 100 ?

J'ai entendu plein de rumeurs sur la signification du chiffre inscrit sur le contenant de crème solaire. On pense généralement à tort qu'un FPS 30 protège doublement qu'un FPS 15. Le chiffre indique plutôt le degré d'absorption des rayons.

FPS 8	88 % des rayons absorbés
FPS 15	93 % des rayons absorbés
FPS 30	97 % des rayons absorbés
FPS 50	98 % des rayons absorbés

Il est important de comprendre qu'aucune protection solaire pour le moment ne peut bloquer 100 % des rayons UV. Les FPS 100 ne constituent donc pas une protection totale.

Choisissez toujours un écran solaire adapté à votre phototype. Une rouquine à la peau claire ne réagit pas au soleil de la même façon qu'une brunette à la peau mate !

1 balle de golf

C'est la quantité de crème solaire à appliquer sur tout le corps.

30 minutes

C'est le temps d'attente avant l'exposition au soleil après l'application de l'écran solaire.

2 heures

Peu importe le degré de protection solaire, c'est à cet intervalle qu'on doit réappliquer de la crème. Ça peut même être plus tôt si on est allés dans l'eau.

EST-CE QU'ON BRONZE AVEC DE LA CRÈME SOLAIRE ?

J'ai souvent entendu des femmes se plaindre qu'avec de la crème solaire, on ne bronze pas. Il est peut-être vrai qu'avec un FPS élevé la peau met plus de temps à brunir — après tout, elle protège des rayons UVB qui agissent à la fois sur le bronzage et les coups de soleil ! —, mais en fin de compte, elle devient plus foncée.

Voici mon conseil si vous avez du mal à bronzer et que vous attrapez vite des coups de soleil : allez dehors souvent, mais pas trop longtemps. Les longues séances de bronzage avec un FPS trop bas ne sont pas pour vous. Alternez souvent entre le soleil et l'ombre, car on bronze même à l'ombre ! L'huile fait rapidement brunir (ou brûler !) la peau au soleil, un peu comme du poulet dans une poêle... Le fait d'ajouter de l'huile par-dessus la crème solaire pour tenter de bronzer ne fait que diluer celle-ci, rendant le risque de coup de soleil plus élevé.

PROLONGER SON BRONZAGE

On le répète souvent, mais la meilleure façon de prolonger votre bronzage, c'est en l'hydratant adéquatement ! La crème hydratante aide à rétablir la barrière hydrolipidique de la peau et camoufle la desquamation temporairement. Un bronzage ressort toujours mieux lorsque la peau est bien hydratée. Aussi, je vous suggère les autobronzants, qui peuvent tricher la couleur de la peau tout au long de l'année. Ils sont pas mal plus sécuritaires que l'abus de soleil et on en trouve désormais avec des teintes réalistes.

QUELQUES CONSEILS POUR LES COUPS DE SOLEIL

Quoi de plus désagréable que des coups de soleil pendant les vacances ? Ils sont douloureux, souvent pendant plusieurs jours, et ceux qui sont intenses augmentent considérablement le risque de cancer de la peau. Si par mégarde ça vous est arrivé, commencez par vaporiser de l'eau thermale sur ceux-ci pour apaiser la peau instantanément. Vous pouvez aussi essayer le gel d'aloès vera, le vinaigre de cidre de pommes, le yogourt écrémé nature, le bicarbonate de soude, le thé noir, le concombre ou, si vous êtes sceptique, les lotions médicamentées ! Bien sûr, évitez les douches chaudes !

Mon astuce secrète : Quand j'ai vraiment mal, j'applique généreusement un des ingrédients ci-dessus et je recouvre d'une pellicule plastique pendant quelques minutes. L'effet d'incubation semble aider à diminuer la rougeur plus rapidement et surtout, à calmer vite la peau !

AUTOBRONZANTS
APPLICATION ET CONSEILS

Ils présentent une alternative plus sûre à l'exposition excessive au soleil ou aux lits de bronzage. Plusieurs femmes boudent les autobronzants en prétextant que l'application est difficile ou que la couleur obtenue n'est pas réaliste. À ces femmes, j'aimerais suggérer de refaire un tour dans le rayon des cosmétiques ! Les autobronzants ont bien évolué depuis les années 1980. Mousse, lotion, gel, aérosol... on trouve désormais plusieurs textures pour le plaisir de toutes et certaines formules sont sans odeur. En à peine 3 heures, il est possible de changer la couleur de sa peau avant un événement important, par exemple.

ASTUCES POUR BIEN CHOISIR

- Vous avez une peau plutôt claire et cherchez un résultat naturel ? Essayez les autobronzants graduels. Ils font un joli teint doré réaliste qui se construit jour après jour... Comme vous gérez l'intensité, il n'y a aucun risque de se tromper !

- Les autobronzants pour le corps peuvent aussi être appliqués sur le visage à la condition de ne pas avoir une peau sensible ou réactive. Certaines crèmes plus grasses pourraient aussi causer des boutons.

- Les textures mousse ou gel sèchent plus vite que les lotions ou les crèmes. Choisissez-les teintées pour bien voir où vous appliquez le produit.

AVANT

APRÈS

1. Exfoliez-vous. La peau doit être exempte de peaux mortes pour être bien propre et prête à recevoir le produit. Si vous appliquez le produit sur vos jambes, rasez-les avant.

2. Avant de procéder à l'application, protégez les zones à risques. Les coudes, les pieds, les genoux et les aisselles sont des endroits où la peau est plus sèche : hydratez-les légèrement avec une lotion non grasse pour éviter les futures stries. Une peau déshydratée absorbera trop d'autobronzant et le résultat sera faux !

3. Appliquez maintenant l'autobronzant avec l'outil de votre choix : mains, gants ou gros pinceau. Allez-y une zone à la fois pour ne pas oublier de parties. Mieux vaut mettre un peu plus de produit que pas assez pour éviter d'avoir des « trous » dans le bronzage. Soyez constante dans votre application.

4. Si vous avez utilisé vos mains, nettoyez-les bien immédiatement après l'application. Savon, eau chaude et on frotte partout, même les cuticules. C'est super important ! Si vous voulez bronzer aussi vos mains, appliquez du produit à l'aide d'un pinceau sur l'endos de vos mains, légèrement.

5. Faites sécher pendant plusieurs heures. Portez des vêtements amples pour aider la couleur à se développer correctement.

6. Finalement, retournez dans la douche pour enlever l'excédent de produit ainsi que l'odeur (s'il y en a une) gênante du DHA. Utilisez un gel douche régulier, pas un exfoliant. Pour sécher votre peau, tapotez-la avec une serviette mais évitez de frotter.

+ Attention ! L'autobronzant ne protège aucunement contre le soleil.

Hydratez-vous chaque jour pour entretenir votre faux bronzage.

Si vous avez fait une erreur, exfoliez la zone en question le plus vite possible.

Un autobronzant tient en moyenne de **3 à 10 jours** sur la peau. Réappliquez au besoin ou exfoliez pour retirer toute la couleur.

QUELQUES NOTES SUR
LE PARFUM

J'adore me parfumer. Pour moi, c'est la touche finale après avoir fait mon maquillage, ma coiffure et choisi ma tenue. La mémoire olfactive est très forte : pensez à quel sillage vous voulez laisser en souvenir derrière vous !

LES FAMILLES

Les parfums se divisent en plusieurs groupes, appelés familles. Ces familles sont composées de multiples sous-groupes. Il est important de sentir plusieurs sortes de parfums afin de déceler vos préférences. Moi, par exemple, j'adore les fruités, les floraux et les aquatiques.

	Les chyprés	Accord unique le plus souvent constitué de bergamote, de mousse de chêne et de patchouli.
	Les floraux	La famille la plus populaire et la plus grande ! On y retrouve évidemment toutes sortes de bouquets fleuris.
	Les orientaux	Aussi appelés ambrés. Ce sont des parfums plus chauds et sensuels, souvent à base de musc ou de vanille.
	Les hespéridés	C'est le joli nom qu'on a donné à la famille des fruités ! Les parfums à base d'agrumes se retrouvent ici.

D'autres familles se retrouvent plus chez les parfums pour hommes, comme les fougères, les boisés et les cuirs. Certaines femmes préfèrent les parfums masculins et ce n'est pas interdit d'en porter !

LE BON NOM

On utilise presque toujours le terme « parfum » pour désigner le produit, mais il existe un langage beaucoup plus précis, basé selon la concentration d'huiles essentielles, qui elle influence le prix ! Plus le pourcentage est élevé, plus le sillage est fort et plus le produit persiste sur la peau.

Eau fraîche	1 à 3 %
Eau de Cologne	2 à 4 %
Eau de toilette	5 à 10 %
Eau de parfum	15 à 20 %
Parfum	20 à 30 %

OÙ L'APPLIQUER ?

Saviez-vous que la peau retient mal les odeurs ? Si vous voulez que votre parfum perdure, appliquez-le plutôt dans les cheveux ou sur vos vêtements, s'ils ne sont pas sensibles aux taches.

À chaque occasion son application !

Matin pressé
Essayez le nuage parfumé si vous voulez sentir bon de partout, rapidement !

Bureau
Appliquez aux endroits où vous sentez votre pouls, comme les poignets et la gorge.

Rendez-vous galant
Vaporisez dans les cheveux ou sur la poitrine (et choisissez bien votre parfum, de grâce !).

Soirée dansante
Découvrez un endroit caché : derrière les genoux ! En bougeant, le parfum se révélera, sans être agressif comme s'il était vaporisé sur le haut du corps.

MANUCURE
+ SOINS DES MAINS

Entretenir ses ongles comme une pro à la maison ? C'est possible ! Puisque la féminité passe aussi par les mains, il est important de connaître la base d'une manucure classique. Pas de panique si vous manquez de dextérité : organisez une soirée manucure avec vos meilleures amies ! À plusieurs, on multiplie son inventaire de couleurs de vernis et on peut s'entraider.

PRÉPARATION

1. Avant tout, on choisit la forme qu'on veut donner à ses ongles (carrés, arrondis, en amande, etc.). On les lime dans une seule direction pour éviter les dédoublements. On utilise un coupe-ongles seulement si les ongles sont très longs, car il a tendance à les abîmer. Au besoin, on ponce légèrement la surface de l'ongle pour lisser les irrégularités.

2. On fait ensuite tremper les mains dans un bol d'eau tiède savonneuse pendant 5 minutes. En plus de nettoyer, ça aide à ramollir les peaux mortes !

3. À l'aide d'une huile nourrissante, on masse la base de chaque ongle pendant quelques secondes. On vient ensuite repousser les cuticules doucement avec un petit outil conçu à cet effet. Les bâtons de buis sont très populaires et vraiment abordables. Au besoin, on utilise une pince à envies pour retirer délicatement les petites peaux autour de l'ongle. Soyez prudentes et ne coupez pas vos cuticules : ça favoriserait les infections !

4. Pour se relaxer, on procède maintenant à un massage des mains. Avec de la lotion parfumée, on étire les doigts, on masse bien la paume de la main et on hydrate jusqu'au coude pour activer la circulation sanguine tout en détendant les muscles. Essuyez ou lavez vos mains avant la pose du vernis pour retirer le film gras qui se serait déposé sur les ongles.

APPLICATION

1. Avant d'appliquer son vernis de couleur, on prépare l'ongle avec une couche d'apprêt. La couche de base sert à prolonger la tenue du vernis et protège contre les taches.

2. Une fois la couche de base sèche, on applique une première couche fine du vernis de son choix. Avec une goutte de produit, on part du centre de l'ongle, près des cuticules mais sans les toucher ! Idéalement, il faut laisser 1 mm d'espace entre le début du vernis et la peau. En suivant la forme de l'ongle, on étire la goutte de vernis sur les côtés.

3. Lorsque la première couche est sèche à 50 %, on peut appliquer la deuxième. Soyez attentive pour que la couleur soit bien uniforme ! Parfois, une troisième couche est nécessaire avec les vernis en transparence.

4. Après avoir patienté pendant quelques minutes, on scelle le tout avec une couche de finition. Ce vernis transparent protège le vernis pour le faire durer plus longtemps et le rend plus éclatant ! Finalement, la partie la plus difficile : attendre que tout le travail sèche à 100 %. J'aime utiliser un petit ventilateur pour accélérer le processus et pendant ce temps, je rédige mes articles pour mon blogue. Jusqu'à présent, je n'ai jamais accroché mes ongles en tapant sur le clavier de mon ordinateur portable !

PÉDICURE À LA MAISON

Les techniques pour le soin des pieds et la pédicure sont légèrement différentes. Lors de la PRÉPARATION, vous devrez tremper vos pieds pendant 10 minutes dans un bassin d'eau chaude. Je suggère d'y ajouter du sel d'Epsom ou une huile essentielle (ou les 2) pour favoriser la détente. Pour des pieds tout lisses, profitez-en pour faire un gommage : mélangez un peu de sucre à de l'huile d'olive et massez bien vos pieds. À cette étape, on peut également poncer les endroits propices à la corne tels que les talons. Massez ensuite les pieds en remontant vers les genoux avec de la crème hydratante. Puis, poursuivez avec les étapes de la partie APPLICATION. Évitez de trop couper les ongles de pieds dans les coins externes pour éviter les ongles incarnés. Gardez une forme carrée, arrondie à la lime dans les coins.

JAMBES DE STAR !

Trop petites, trop grosses, trop musclées : on exagère souvent nos défauts au niveau des jambes. Cependant, comme elles sont un bon atout de séduction, on doit leur porter un minimum d'attention. Avec quelques bons trucs et outils, il est possible de se faire des jambes de rêve en quelques minutes !

AVANT

APRÈS

1. Préparation

De belles jambes, ça commence sous la douche ! On exfolie sa peau pour la rendre la plus lisse possible et on enlève les poils superflus au besoin. Ensuite, on hydrate légèrement avec une lotion pour emprisonner l'humidité.

2. Maquillage

On utilise du fond de teint sur notre visage pour unifier la couleur de la peau, pourquoi pas sur nos jambes ? Vous pouvez utiliser un fond de teint fluide (à base d'eau) ou tout simplement un aérosol teinté qui donne un effet « bas de nylon ». Rien de mieux pour réchauffer une carnation laiteuse ! De plus, ça cache les petites imperfections, les veines apparentes, etc.

3. Illusion d'optique

On peut jouer sur la longueur de sa jambe en utilisant un peu d'illuminateur. Il peut être en crème ou en poudre, mais liquide, c'est l'idéal. Choisissez-en un doré ou rosé selon votre couleur de peau. Appliquez le produit le long du tibia uniquement et estompez avec les doigts. La lumière réfléchie sculptera votre jambe et la mettra en valeur.

4. Touche finale

Les chaussures à talons hauts n'ont pas d'équivalent pour rendre les jambes plus sexy ! Elles aident à définir les jambes en rehaussant la découpe naturelle du corps, redressent la posture et nous font paraître plus grandes. Pour des gambettes dignes d'un tapis rouge, ça nous en prend !

CONFESSIONS DE Cycy

RÉUSSIR À AIMER SON CORPS, POSSIBLE ?

Adolescente, j'ai vécu des périodes difficiles, une grande perte de confiance en moi et d'estime. J'avais beau avoir un copain, des amies et une famille qui me répétaient que j'étais belle, je n'y croyais pas. Moi, je n'étais pas satisfaite de ce que je voyais dans le miroir. C'était devenu une obsession malsaine. Ne pas se trouver belle, ça joue sur tout : notre confiance, notre aisance, notre humeur… À force d'avoir la tête remplie de pensées négatives, on finit pas ne plus voir le positif autour de nous et à l'intérieur de nous. J'étais constamment en train de surveiller mon apparence et je me comparais aux filles les plus belles que je croisais. J'espérais avoir plus de poitrine et moins de fesses, être plus grande et avoir moins de cellulite, avoir des dents parfaites et savoir comment bien m'habiller… J'étais hyperconsciente de tout ça et j'avais espoir qu'en apprenant les rudiments de la beauté avec des pros, tous mes problèmes seraient réglés. La route vers le bonheur n'est pas aussi simple…

Je me souviens avoir passé un été complet à analyser et changer mes pensées, à rationaliser mes critiques négatives à mon égard et surtout, à apprendre à aimer mon corps. Une charmante psychologue m'a fait prendre conscience que mon corps n'était pas seulement une image : c'était une machine complexe très bien faite qui me permettait de jouir de la vie. Et pour l'aimer davantage, je devais en prendre soin. Ça peut paraître étrange pour certains, mais je pense réellement que nos pensées ont un impact sur qui nous sommes et sur ce qu'on projette. Cet été-là, avec beaucoup de volonté, j'ai

réussi à dédramatiser et à me voir différemment. Je pense que si aujourd'hui je suis bien dans ma peau, c'est parce que j'ai beaucoup travaillé intérieurement, mais je n'exclus pas un phénomène auquel personne n'échappe : vieillir. Grandir, c'est automatiquement prendre confiance en soi. De plus, après l'adolescence souvent ingrate, on trouve un style qui nous est propre et même si on continue d'expérimenter un peu à l'âge adulte, on a souvent déjà surmonté tous nos grands faux pas dans le domaine de la beauté.

Vous aimeriez sans doute que je vous dise qu'aujourd'hui je n'ai plus aucun complexe. Malheureusement, ce serait mentir. Je pense que pour nous, les femmes, se débarrasser de tous nos complexes sera toujours un défi. Il y a des jours ou des semaines où je ne me sens pas à mon meilleur, où je boude en voyant mon reflet. La différence est qu'aujourd'hui, j'ai des outils en ma possession pour surmonter ma petite crise d'égo. Je change immédiatement ma pensée négative en relativisant : « Je suis en santé, c'est le plus important », « Les gens dans la rue ne remarqueront pas mon bouton, car ils ont bien d'autres préoccupations ! » Je ne me permets plus de critiquer sévèrement ce que la nature ou mes parents ont créé. Je suis heureuse avec ce que j'ai… et l'accepter est le plus beau cadeau que je puisse me faire.

En espérant que mon histoire et ces mots puissent vous guider,

Cycy

LES 5 BIENFAITS BEAUTÉ DE
L'EAU FROIDE

L'eau froide a de multiples vertus, tant au niveau de la santé que de la beauté. On l'oublie souvent, alors j'ai pensé faire un petit récapitulatif.

1 En eau de rinçage, elle scelle les cuticules et fait briller les cheveux.

2 Sous la douche, elle tonifie la peau. Passez un jet d'eau froide sur toutes les zones que vous voulez raffermir : poitrine, cuisses, fesses, etc.

3 Sur le visage, elle resserre les pores. Si vous avez la peau grasse, passez un glaçon rapidement sur votre visage et admirez le résultat !

4 Elle active la circulation sanguine. Excellent pour les jambes lourdes, la cellulite, etc.

5 L'eau froide réveille la peau du visage au matin et ravive le teint en activant la circulation. Un truc contre la grise mine qui ne coûte rien !

RECETTES BEAUTÉ MAISON
LES INDISPENSABLES

Faire ses propres recettes beauté à la maison est simple, rapide et économique. Vous verrez qu'avec quelques ingrédients (qu'on peut trouver la plupart du temps chez soi), on peut presque tout traiter ! Taches brunes, cellulite, cheveux gras ? Voici une liste d'ingrédients nécessaires pour réaliser toutes sortes de soins pour le visage, le corps et les cheveux. Choisissez-les purs et bio, si possible.

DANS LA CUISINE

- [ ] **Huile d'olive**
(nourrissante, antioxydante, émolliente)

- [ ] **Œuf**
(fortifiant, nettoyant naturel, antiâge)

- [ ] **Jus de citron**
(éclaircissant, astringent, fortifiant)

- [ ] **Sucre/sel/cassonade**
(exfoliants naturels)

- [ ] **Miel**
(antiacné, antioxydant, nourrissant)

- [ ] **Banane**
(hydratante, revitalisante, protectrice)

- [ ] **Avocat**
(fortifiant, régénérant, cicatrisant)

- [ ] **Ail**
(antipelliculaire, limite la chute de cheveux et l'apparition de boutons)

- [ ] **Yogourt nature**
(astringent, nettoyant, antibactérien)

- [ ] **Thé vert**
(très antioxydant, anticernes, astringent)

- [ ] **Marc de café**
(exfoliant naturel, anticellulite, antioxydant)

- [ ] **Vinaigre de cidre de pommes**
(antiâge, antiseptique, purifiant)

- [ ] **Bicarbonate de soude**
(exfoliant naturel, déodorant, blanchissant pour les dents)

À ACHETER

- [ ] **Aloès vera**
(purifiant, cicatrisant, hydratant)

- [ ] **Argile verte**
(purifiante, absorbante, nettoyant naturel)

- [ ] **Eau d'hamamélis**
(apaisante, tonifiante, astringente)

- [ ] **Eau de rose**
(antiâge, tonifiante, adoucissante)

- [ ] **Eau de bleuet**
(décongestionnante, apaisante, anticernes)

- [ ] **Huile essentielle de lavande vraie**
(cicatrisante, relaxante, antiacné)

- [ ] **Huile d'amande douce**
(adoucissante, apaisante, antivergetures)

- [ ] **Huile de ricin**
(émolliente, fortifiante, cicatrisante)

- [ ] **Huile de noix de coco**
(très nourrissante, apaisante, antipoux)

- [ ] **Huile d'argan**
(régénérante, antioxydante, protectrice)

Note : pour les huiles et les eaux citées, il n'est pas nécessaire de toutes les acheter ; choisissez parmi les propriétés recherchées.

Consultez votre médecin avant d'utiliser des huiles essentielles.

4 MASQUES
POUR LE VISAGE À FAIRE CHEZ SOI !

Voici 4 recettes faciles à faire qui ne coûtent presque rien, testées et approuvées par Cycy !

1
MASQUE PURIFIANT POUR PEAUX GRASSES

- ½ yogourt nature, portion individuelle
- Jus de ½ citron

Tout simple, ce masque minute rafraîchit les peaux grasses et les traite. Le yogourt, antibactérien, est bon pour les boutons, tandis que le jus de citron purifie et resserre les pores. Mélangez simplement le yogourt nature avec le jus de citron. Appliquez sur le visage propre pendant 5 à 10 minutes et rincez.

2
MASQUE NOURRISSANT POUR PEAUX SÈCHES

- ⅓ banane mûre
- 1 c. à thé d'huile de noix de coco vierge et crue
- 1 jaune d'œuf

Bon pour les peaux sèches ou durant l'hiver, ce masque apporte souplesse et confort à la peau du visage. C'est une potion magique qui hydrate, nourrit et adoucit l'épiderme ! Commencez par écraser la banane dans un bol et ajoutez-y l'huile de noix de coco. Mélangez le tout en y incorporant le jaune d'œuf (fortifiant et très nutritif pour la peau). Une fois la texture lisse, appliquez-la sur le visage en évitant le tour des yeux et de la bouche. Patientez pendant 15 minutes maximum et rincez.

3

MASQUE TONIFIANT ET RAFRAÎCHISSANT

- 2 c. à soupe de yogourt nature
- 2 ou 3 fraises, écrasées
- 1 blanc d'œuf, battu

Cette recette s'adresse à toutes celles qui souhaitent rafraîchir leur peau tout en la tonifiant! C'est un bon masque pour l'été qui peut être fait pour tous les types de peaux, spécialement celles normales, mixtes ou grasses. Mélangez dans un bol le yogourt nature avec les fraises. Ajoutez le blanc d'œuf et brassez jusqu'à consistance lisse. Appliquez le mélange délicatement sur le visage. Après 10 à 15 minutes, rincez-le à l'eau tiède et terminez avec de l'eau froide pour resserrer les pores. Vous aurez un beau teint frais!

4

MASQUE RAJEUNISSANT « COUP D'ÉCLAT »

- 1 blanc d'œuf
- 1 c. à thé de miel liquide pur
- 1 c. à thé de jus de citron

Un masque parfait pour les femmes qui souhaitent remonter et raffermir leur peau en quelques minutes! L'effet tonifiant du blanc d'œuf se fait sentir en à peine 10 minutes. Le miel, nourrissant, est excellent pour les peaux matures et le jus de citron aide à éclaircir les taches pigmentaires. Mélangez bien les ingrédients ensemble dans un bol et appliquez le mélange sur le visage propre; patientez 15 à 20 minutes. Rincez à l'eau tiède et terminez avec un jet d'eau froide. Tadam!

BEAUTÉ - LE CORPS

10
ERREURS
À ÉVITER

3

NE PAS HYDRATER SA PEAU

C'est crucial, même pour une belle peau ou une peau grasse ! Une peau assoiffée marque plus vite et tiraille.

1

TROP NETTOYER SON VISAGE

Il va se venger ! Une fois par jour suffit amplement. Les peaux grasses peuvent prendre une lotion astringente le matin au besoin.

4

JOUER AVEC SES BOUTONS

Soyez douce avec votre peau ! Sinon, gare aux cicatrices qui mettent des mois voire des années à disparaître.

2

NE PAS SE DÉMAQUILLER

Attention ! Cils qui tombent plus vite, peau irritée ou asséchée, conjonctivites... dois-je en dire plus ?

5

OUBLIER LE DÉCOLLETÉ

Prenez l'habitude de descendre votre soin visage jusqu'au cou. La zone du décolleté vieillit plus vite étant donné que la peau y est très fine.

8

NE PAS UTILISER DES PRODUITS CONÇUS POUR SON TYPE DE PEAU

Ex. : une fille qui a parfois des boutons utilise des soins antiacné, qui sont souvent abrasifs. Elle risque d'assécher inutilement sa peau !

6

NÉGLIGER LA PROTECTION SOLAIRE

Même les jours où le ciel est couvert, on peut bronzer ou brûler ! Une crème solaire est le meilleur antirides.

9

DÉPENDRE DES LINGETTES DÉMAQUILLANTES

Elles doivent dépanner. On les traîne en voyage, de préférence. À long terme, elles peuvent assécher ou irriter l'épiderme.

7

TROP ÉPILER SES SOURCILS

Confiez-les à une pro ! Ça prend du temps à repousser, des sourcils... et la mode est à ceux bien fournis !

10

UTILISER SON NETTOYANT POUR LE CORPS SUR LE VISAGE

C'est NON ! La peau du visage est plus fragile et demande un soin spécifique, moins asséchant et plus doux.

CHEVEUX

Connaître ses cheveux, s'en occuper (à la maison) et les mettre en valeur par différentes techniques simples et efficaces.

LA BASE

LA TROUSSE DE BASE

En matière de cheveux, il existe des essentiels que toute femme devrait avoir chez soi. Voici, selon moi, les outils et produits indispensables.

PEIGNE À QUEUE

PROTECTEUR CONTRE LA CHALEUR

ÉPINGLES À CHEVEUX

GROS ÉLASTIQUES

REVITALISANT

PEIGNE À DENTS LARGES

BROSSE EN POILS NATURELS

BROSSE RONDE

FIXATIF

PRODUIT COIFFANT

FER À LISSER

FER À FRISER

PINCE « CROCODILE »

MASQUE CAPILLAIRE

PETITS ÉLASTIQUES

SHAMPOING SEC

SHAMPOING

SÈCHE-CHEVEUX

LES TYPES DE CHEVEUX

Connaissez-vous votre type de cheveux ? Pour bien traiter votre chevelure, il est important de découvrir 3 points : leur texture, leur niveau de sécrétion de sébum ainsi que leur épaisseur.

QUELLE EST VOTRE TEXTURE DE CHEVEUX ?

Il existe **4 grandes familles au niveau des textures de cheveux**. Quel est le dégradé de bouclage de vos cheveux au naturel ? Comment sont-ils lorsque vous les laissez sécher à l'air libre sans avoir utilisé préalablement de produits coiffants ?

Droits : les cheveux sont complètement lisses et difficiles à friser.

Ondulés : les cheveux présentent de légères vagues ou ondulations et ont plus de facilité à être frisés.

Frisés : les cheveux bouclent naturellement et facilement.

Crépus : la boucle présente est très serrée et le cheveu est sec.

COMMENT EST VOTRE CUIR CHEVELU ?

Le degré de production de sébum au niveau du cuir chevelu classe les cheveux en **4 catégories : normaux, secs, gras ou mixtes.** Essayez de déterminer la vôtre en gardant en tête que certains facteurs externes (produits utilisés, température, etc.) et internes (stress, puberté, etc.) peuvent influencer temporairement votre cuir chevelu.

Secs : le cheveu manque de sébum. Il est sec au toucher et à l'œil. C'est un cheveu fragile, plus sensible aux cassures puisqu'il manque de protection naturelle. Le cuir chevelu sec est souvent associé à des démangeaisons ou même de la desquamation.

Gras : le cuir chevelu produit trop de sébum, aux racines et souvent même sur les longueurs, et le cheveu reluit. Vous remarquerez que ce type de cheveux redevient gras assez vite, soi en 1 ou 2 jours.

Mixtes : parfois, on peut avoir un excès de sébum sur le cuir chevelu, mais qui ne se rend pas jusqu'aux pointes. Elles sont donc sèches, fragiles, cassantes. Tout comme pour les peaux mixtes, on se retrouve face à 2 problèmes à traiter (trop de sébum et pas assez).

Normaux : même constat que pour la peau normale : des cheveux dits normaux ont tout simplement un cuir chevelu équilibré, c'est-à-dire qui produit juste la bonne quantité de sébum. Le cheveu est ni sec ni gras ; il est sain.

QUELLE EST L'ÉPAISSEUR DE VOS CHEVEUX ?

Dernière question à se poser pour bien déterminer son type de cheveux et ainsi mieux répondre à ses besoins. L'épaisseur de cheveux varie selon plusieurs facteurs comme la génétique, l'hérédité, l'âge, le stress, etc. On dénote **3 épaisseurs de cheveux** différentes.

Épais : on dit que les cheveux sont épais lorsqu'avec un élastique régulier, vous pouvez faire seulement 1 tour.

Moyens : si avec un élastique à cheveux régulier vous pouvez faire 2 ou 3 tours, vos cheveux sont moyennement épais.

Fins : finalement, si un élastique régulier fait 3 tours et plus, vous avez des cheveux fins.

Et puis, avez-vous trouvé votre type de cheveux ? Les miens sont ondulés, normaux et moyennement épais ! Maintenant que vous avez bien décortiqué leur nature, magasinez vos soins capillaires en conséquence.

+ Si vos cheveux sont gras, favorisez les textures de shampoings gels, plus légers pour vous.

Si vos cheveux sont secs, limitez l'usage des outils chauffants et utilisez une crème de jour capillaire pour les protéger !

Finalement, utilisez des mousses et des produits non alourdissants pour aider les cheveux fins à avoir plus de volume.

À SAVOIR

L'IMPACT DE LA COULEUR DE NOS CHEVEUX

Qu'on le veuille ou non, la couleur de nos cheveux influence la perception que les gens ont de nous. Une blonde, une rousse ou une brunette peut influencer nos premières impressions sur elle. J'ai pensé qu'une page sur le sujet pourrait vous éclairer ! Ça pourrait vous aider à comprendre ce que votre physique dégage ; peut-être qu'ensuite vous envisagerez une nouvelle coloration… !

BLONDS

Les blondes passent généralement pour des personnes sociables et amicales. La couleur claire et lumineuse est associée à la douceur, mais également au glamour et au sex-appeal. Vous avez sans doute remarqué que le blond est la coloration fétiche des stars à Hollywood ? Ce n'est pas pour rien ! Comme seulement **2 % de la population mondiale naît avec des cheveux blonds**, c'est une couleur plus rare, qui suscite beaucoup d'intérêt. Pour l'avoir testée moi-même pendant quelques années, être blonde fait définitivement tourner plus de têtes.

BRUNS

Le brun renvoie inconsciemment une image de personne plus sérieuse, plus mature et réfléchie. C'est la couleur de cheveux la plus commune, mais heureusement elle existe en plusieurs variantes : du pâle au foncé, du froid au chaud. Le brun est ma couleur naturelle, mais quand j'ai arrêté de me teindre en blonde, j'ai été sujette à plusieurs commentaires et critiques ! Heureusement, la majorité des gens me préféraient en brunette. Ce que j'entendais le plus souvent était que j'avais l'air plus « femme » et que cette couleur faisait ressortir mes traits. Ce qui n'est pas faux !...

ROUX

On dit des rouquines qu'elles sont extraverties et agréables comme personnes. Le roux est une couleur souvent associée à la jeunesse, à la passion, à la nature et au plaisir. Autrefois, il a connu bien d'autres étiquettes, comme celles de la tentation et de la sorcellerie. Durant la Renaissance, toutefois, les rousses étaient à l'honneur : on le voit bien à travers les toiles de Botticelli.

Le roux est la couleur la plus rare : seulement **1 à 2 % de la population mondiale naît avec cette jolie couleur fauve !**

NOIRS

C'est la couleur de cheveux **la plus répandue dans le monde !** Les cheveux noirs sont très présents dans certains coins de la planète, mais pour nous, Occidentaux, cette couleur de cheveux est associée à l'exotisme. Les cheveux noirs sont aussi empreints de mystère… et dans le subconscient collectif, ils sont aussi symbole de séduction, de sensualité. En terminant, les cheveux noirs sont ceux qui contiennent le plus d'eumélanine, ce qui donne le pigment foncé aux cheveux !

En terminant, connaissez-vous ce dicton : une femme qui change ses cheveux est un signe d'une page tournée dans sa vie ?

COLORATION
COMMENT CHOISIR
SELON SA CARNATION ?

Trouver la meilleure coloration possible pour soi est souvent difficile. On doit prendre en considération plusieurs facteurs comme la couleur naturelle des cheveux, la couleur des yeux et du teint. Si certains pensent que la couleur la plus avantageuse reste celle qu'on a naturellement, un petit changement peut parfois faire le plus grand bien!

INTENSITÉ

L'intensité de ma peau est...   ☐ Pâle   ☐ Moyenne   ☐ Foncée

On doit évaluer l'intensité de la couleur désirée en fonction de l'intensité de la peau et des yeux. On dit normalement que la teinte la plus harmonieuse pour quelqu'un est celle qui contraste légèrement avec la peau. Tout dépend bien sûr de l'effet désiré : pour un look mystérieux et gothique, on peut oser le contraste peau pâle/cheveux foncés. Une femme à la peau foncée pourrait aussi se teindre les cheveux en blond, mais le côté naturel serait tout de suite perdu... Aussi, on évite d'y aller trop dans le ton sur ton, qui pourrait créer un look fade (ex. peau matte et cheveux brun moyen).

L'intensité de mes yeux est...   ☐ Pâle   ☐ Moyenne   ☐ Foncée

Si l'on souhaite faire ressortir davantage la couleur de ses iris, il faut d'abord regarder s'ils sont clairs ou foncés. Les yeux bleus (clair) ressortent mieux avec des couleurs foncées comme le noir... mais si vous avez le teint pâle, souvenez-vous des conseils ci-dessus!

TONALITÉ

La tonalité de ma peau est... ☐ Froide ☐ Chaude ☐ Neutre

La tonalité de la peau et des yeux est aussi à considérer. Avez-vous le teint froid (rosé), chaud (jaunâtre) ou neutre (rosé et jaunâtre) ? On dit qu'il est plus harmonieux de rester dans la même famille de tons ; soit chauds, soit froids. Un teint doré peut donc s'allier à une couleur rougeâtre sans risque d'erreur. La chance revient aux teints neutres : avec eux, on peut se permettre d'essayer des couleurs dans les 2 familles de tons !

La tonalité de mes yeux est... ☐ Froide ☐ Chaude ☐ Neutre

Pour les yeux cependant, il n'est pas obligatoire de rester dans la même famille. Il est naturel que les couleurs comme le blond et le roux soient souvent des choix gagnants pour les yeux clairs. Les yeux bruns ou noirs (qui sont des couleurs neutres) n'ont pas de contre-indications en matière de coloration.

Voici un petit tableau qui pourra vous aider à faire ressortir au maximum vos yeux ; il est basé sur la théorie des couleurs complémentaires !

COULEUR DES YEUX	COULEUR COMPLÉMENTAIRE	COULEURS À PRIVILÉGIER
Bleu	Orange	Roux, Cuivrés, Rouges
Vert	Rouge	Acajou, Cuivrés, Rouges
Brun-vert	Rouge	Rouges, Mauves, Acajou
Brun-jaune (miel)	Violet	Mauves, Rouges, Roux
Brun-rouge (acajou)	Vert	Brun cendré/froid, Miel
Brun orangé (ambré)	Bleu	Brun cendré/froid, Mauves

Notes : les yeux noisette sont des yeux brun clair avec un mélange de vert, de jaune et parfois d'orangé. Les yeux pers sont des yeux bleu-gris ou bleu-vert. Dès que vous aurez bien décrypté les sous-tons de vos iris, vous saurez comment pleinement les mettre en valeur !

COMMENT CHOISIR SA
COUPE SELON SON VISAGE

Les coiffeurs connaissent bien l'art de la coupe. Ils savent comment mettre toutes les formes de visages en valeur, pour qu'elles se rapprochent plus du fameux visage ovale, dit visage idéal pour son équilibre et sa grande versatilité. Heureusement pour nous, avec le pouvoir des couleurs et des formes, on peut créer une infinité d'illusions d'optique très flatteuses. J'ai choisi d'omettre plus bas les détails du visage ovale étant donné que tout lui va en terme de coiffures, coupes, franges, longueurs, etc. Voici donc quelques conseils pour avantager toutes les autres formes de visages.

	ROND	EN CŒUR	CARRÉ
	Pour rendre le visage plus « animus » ou moins rond, il faut créer un point d'attention autour du visage. Ça peut être en ayant plus de volume sur le dessus de la tête ou en coupant des mèches à la hauteur des yeux pour remonter les joues.	Pour ce type de visage, on doit chercher à équilibrer le bas et le haut. On doit distraire l'attention du front bombé et donner de l'ampleur à la mâchoire fine avec des illusions d'optique.	On doit miser sur la douceur pour que ce type de visage se rapproche de la forme ovale. Les traits étant très angulaires, on les arrondira un peu. Le volume sur le haut de la tête est à privilégier pour allonger le visage.
↕	Aux épaules.	Aux épaules ou plus long.	Sous la clavicule.
✂	Lobs / asymétriques / longues, vaguées et dégradées vers l'extérieur / pixies rebelles avec volume sur le dessus / droites, lisses et longues.	Lobs / ondulations dans le bas sur des coupes longues.	Ondulations vers l'intérieur à partir des oreilles / shags déconstruits.
F	En biais qui se termine sur l'os de la joue, droite mais longue pour allonger le visage.	Longue et droite, longue en biais, longue effilée et coupée à la verticale.	Rideau, légèrement effilée et arrondie, plus longue et texturisée sur les côtés.
⚠	Les bouclés serrés en rondeur et en dégradé tout autour du visage, les coupes se terminant à la mâchoire.	Les franges trop courtes, les longueurs aux oreilles et le volume entre la raie et les oreilles.	Les coupes droites (à la mâchoire), les séparations au milieu et les franges courtes et droites.

LONGUEUR
IDÉALE

COUPES
À PRIVILÉGIER

FRANGE
SUGGERÉE

ERREURS
À ÉVITER

RECTANGULAIRE	PYRAMIDE	LONG
Le visage rectangle a la même problématique que le visage carré, celle d'adoucir la sévérité des traits. Par contre, comme il s'agit d'un visage long, il ne s'agit pas exactement des mêmes conseils.	Il est l'inverse de celui en cœur ayant le bas plus large que le haut. Ajouter du volume autour du front contribue à mieux l'équilibrer. Pour un visage triangulaire inversé, les conseils contraires s'appliquent.	Le but avec ce type de visage est simple : il faut fuir les lignes verticales pour ne pas l'allonger davantage. Le visage long gagne à paraître légèrement élargi car il gagnera en douceur.
Aux épaules.	Longs ou mi-longs.	À la mâchoire.
Structurées avec mèches qui tombent sur l'os des joues / ondulations à partir des sourcils / volume sur le côté du visage.	Dégradées dans le bas pour adoucir et alléger la mâchoire / volume près des tempes / coupes garçonnes avec du volume / mèches qui tombent sur les joues.	Carrés ondulés/volume sur les côtés du visage/dégradés.
Longue et effilée, rideau.	Horizontalement large pour agrandir le front, rideau.	En biais, droite, longue.
Les coupes qui s'arrêtent au niveau des oreilles, les coupes sans dégradé, les séparations au milieu.	Les coupes qui s'arrêtent à la mâchoire, le volume dans le bas des cheveux, la séparation au milieu.	Les cheveux longs à très longs, les cheveux droits et sans volume, la frange trop courte.

LES PROBLÈMES CAPILLAIRES

LES PELLICULES

Chez les femmes comme chez les hommes, les pellicules sont un problème capillaire fréquent. Un peu comme les boutons, le problème des pellicules risque de tous nous affecter à un moment ou un autre de notre vie. Lorsque la situation est récurrente, elle procure de l'inconfort, nuit à l'apparence physique et peut entraîner des émotions négatives. Heureusement, je vous promets qu'avec les conseils suivants, vous pourrez reprendre la situation en main !

LES CAUSES

Plusieurs facteurs externes peuvent causer l'apparition des pellicules : shampoing mal rincé, eau de la douche trop chaude, températures froides, démangeaison, etc. Notez aussi que des facteurs internes, comme le stress et la fatigue, peuvent également être responsables. Le cercle vicieux des pellicules peut être dur à briser si on n'en comprend pas bien la cause. Il faut savoir qu'il existe un champignon naturellement présent sur le cuir chevelu ; provoqué par l'inflammation, il se multiplie. C'est là qu'il faut intervenir !

Selon la nature du cuir chevelu, il est possible d'avoir des pellicules sèches (fines, blanchâtres, qui tombent en neige) ou grasses (plus grosses, jaunâtres).

LES REMÈDES

Shampoing antipelliculaire

Vous en trouverez facilement en pharmacie, le plus souvent dans des marques spécialisées. Son coût est généralement abordable et son efficacité, faible à bonne.

Recettes maison

Pour ma part, j'aime beaucoup combattre les pellicules (lorsque j'en ai) avec des recettes basées sur des ingrédients naturels. Rapides, simples et efficaces, elles me sauvent à chaque fois ! Petit truc : utilisez de la pellicule plastique pour recouvrir votre tête. L'effet d'incubation favorise la pénétration des substances.

RECETTES MAISON

Huile d'olive + ail

Rebutant, mais 100 % efficace ! Il y a un lien évident à faire entre les propriétés de l'ail et le champignon qui cause le cercle vicieux des pellicules. Mélangez simplement 1 gousse d'ail pressée à 1 cuillerée à thé d'huile d'olive. Si votre cuir chevelu est sec, ça aidera à le nourrir et à l'hydrater ! Massez le mélange sur le cuir chevelu et patientez pendant 15 à 20 minutes. Faites 1 ou 2 shampoings pour nettoyer et enlever l'odeur. Si elle persiste, essayez des huiles essentielles ajoutées au shampoing ou à la recette même (l'eucalyptus aide en même temps pour les pellicules et apaise les démangeaisons). Pas glamour comme recette, mais ça fonctionne dès le premier coup !

Vinaigre de cidre de pommes

On le trouve en épicerie à moindre coût. On peut tout simplement l'utiliser en traitement (masser et laisser poser durant 5 à 10 minutes avant le shampoing) ou en eau de rinçage. Ça nettoie et assainit le cheveu en plus de le faire briller !

Sel + aloès vera

Si vous avez le cuir chevelu gras, vous aimerez sûrement cette recette ! Parfois, on a trop d'accumulation au niveau du cuir chevelu (produits, pellicules, etc.), ce qui cause toutes sortes de problèmes. On peut exfolier doucement le cuir chevelu avec un mélange d'aloès et de sel de mer. Massez lentement avec vos doigts humides avant de faire un shampoing. Le bicarbonate de soude seul fonctionne aussi très bien. À faire en dernier recours et à éviter si vous avez le cuir chevelu sensible.

Si toutes ces méthodes ne fonctionnent pas, consultez un dermatologue. Peut-être que le problème est autre chose… ou il pourrait vous conseiller un autre traitement. Bonne chance !

LES CHEVEUX GRAS

Un autre problème capillaire fréquent est celui des cheveux gras. Le cuir chevelu produit trop de sébum, créant ainsi une apparence de cheveux qui reluisent en quasi-permanence. Le sébum est bon pour les cheveux, car il sert de protecteur naturel… mais en trop grande quantité, c'est signe que le cuir chevelu est déséquilibré.

LES CAUSES

Ça peut être votre type de peau/cuir chevelu, ou tout simplement un débalancement passager dû à de multiples facteurs. Parmi ceux-ci on en trouve des internes (stress) et des externes (produits capillaires irritants ou non adaptés, eau trop chaude, abus de soleil, etc.).

LES REMÈDES

Shampoing pour cheveux gras

Disponible à la pharmacie dans certaines marques, souvent spécialisées. Il est bon de l'alterner avec un shampoing doux, car il ne faut pas tenter d'enlever TOUT le sébum : il a son rôle à jouer dans l'organisme. Si on lave trop, la peau se venge en produisant plus de sébum ! Attention au piège… Veillez aussi à masser doucement votre tête lors du lavage pour ne pas exciter les glandes sébacées.

Recettes maison

Lorsqu'il m'arrive d'avoir une période où mes cheveux deviennent gras trop vite, je me tourne vers les solutions naturelles en premier. Pour moi, ça a toujours fonctionné donc j'économise sur les produits ! Les recettes qui suivent sont faciles à faire, douces et économiques.

Argile verte : elle a des propriétés absorbantes étonnantes ! On la trouve en pharmacie, à coût abordable. Mélangez la poudre d'argile verte à quelques gouttes d'eau dans un bol en verre pour former une pâte. Appliquez-la sur votre cuir chevelu et recouvrez avec une pellicule plastique pour renforcer l'effet du masque. Patientez ainsi pendant 15 minutes et faites un shampoing régulier par la suite. Magie !

Vinaigre de cidre de pommes, thé vert, jus de citron : ce sont d'excellents liquides pour absorber l'excédent d'huile. Essayez-les en eau de rinçage (seuls ou coupés avec de l'eau) après le shampoing pour clarifier et purifier le cuir chevelu. Sensation de fraîcheur garantie !

Huiles essentielles : celles de citron, de lavande, de théier, de romarin et de pamplemousse sont conseillées pour les cheveux gras. Ne les utilisez pas seules, car elles sont très concentrées : ajoutez quelques gouttes à votre shampoing ou diluez-les dans une huile végétale (ex. jojoba ou noisette). Après une ou plusieurs utilisations, vous devriez déjà avoir dit adieu au cercle vicieux des cheveux gras !

LES CHEVEUX
CASSANTS, ABÎMÉS OU SECS

On utilise souvent le terme « sèche » pour décrire notre chevelure, mais le terme n'est pas toujours juste. Mettez le doigt sur le vrai problème avec les conseils ci-dessous. Que ce soit récurrent ou passager, il faut le traiter rapidement pour le bien-être de nos cheveux adorés.

LES CAUSES

Elles sont soit chimiques, soit mécaniques. Plusieurs facteurs sont en cause : l'abus de soleil, le vent, les grands froids, les produits capillaires non adaptés, les colorations et autres procédés chimiques, la chaleur des appareils chauffants coiffants, etc.

Les cheveux secs manquent de sébum ! C'est le contraire des cheveux gras. Les cheveux secs sont ternes, rêches au toucher et ils font facilement des fourches aux pointes. C'est relié directement à un cuir chevelu sec, sensible, qui démange. Nuance : pour les cheveux mixtes (cuir chevelu gras et pointes sèches causées par un manque de sébum dans les pointes), des huiles sont nécessaires pour nourrir celles-ci.

Les cheveux déshydratés manquent d'eau. Ils sont poreux et restent humides très longtemps lorsqu'on les sèche... Ils tentent de retenir le plus d'eau possible, mais y arrivent difficilement.

Les cheveux abîmés manquent de protéines : ils cassent facilement, sont faibles et fragiles. La solution ? Reconstruire la kératine avec des soins spécifiques.

LES REMÈDES

Couper ses cheveux

Lorsque les pointes sont abîmées, c'est un mal nécessaire. On ne peut pas réparer un cheveu mort. Cependant, couper vos cheveux ne réglera pas le problème si votre type de cheveux est sec (le problème vient des racines).

Protéger de la chaleur

Si vous allez au soleil, pensez à protéger vos cheveux des rayons UV qui en dessèchent et fragilisent les écailles. Les huiles seront vos alliées ! En hiver, utilisez une crème de jour capillaire pour protéger les cuticules du cheveu contre le vent et la température froide. Avant d'utiliser un sèche-cheveux, essorez préalablement vos cheveux au maximum, doucement à la serviette, et employez un protecteur thermal. Les cheveux fins ou fragiles ne supportent pas les hautes températures, donc évitez de coller l'embout du séchoir trop près d'eux pour ne pas littéralement les faire cuire !

Utiliser des soins spécifiques

Si vos cheveux sont déshydratés, tournez-vous vers les shampoings hydratants qui élèvent le taux d'humidité dans les cheveux. S'ils sont abîmés et cassants, réalisez une fois par semaine un masque réparateur. Les huiles, très riches, sont aussi indiquées pour tous ces types de problématiques.

Recette maison

Huile d'olive + *œuf* + *avocat*

Une recette classique qui a fait maintes fois ses preuves. Mélangez 1 œuf avec la chair d'un avocat mûr et ajoutez 2 c. à soupe d'huile d'olive. Bien mélanger pour avoir une texture lisse. Appliquez la recette des longueurs aux pointes et patientez durant 30 minutes. Laver les cheveux pour tout retirer.

CONFESSIONS DE Cycy

CHUTE DE CHEVEUX ET STRESS

J'ai commencé à remarquer que je perdais plus de cheveux qu'à la normale en 2013. Au début, je ne m'en préoccupais pas trop, pensant que c'était dû à l'automne… J'ai tout de même tenté de compter mon nombre de cheveux perdus à tous les jours pour voir si j'étais dans la moyenne ! Puis, les commentaires de mon entourage sont arrivés et c'est à ce moment que j'ai vraiment commencé à stresser. « Jeune, tes cheveux étaient plus épais… », « Ramasse tes cheveux, on en trouve plein sur le plancher… » Ma coiffeuse me répétait de ne pas m'en faire avec ça, puisque c'était probablement la cause de ma chute et que ça allait empirer à force de trop y penser ! Pour la première fois de ma vie, je comprenais toute l'importance de mes cheveux et je priais chaque jour pour les conserver. Heureusement, il est vrai qu'il m'en restait beaucoup encore, mais je m'attendais au pire… J'observais mes raies devenir un peu plus larges ; les poignées de cheveux que je perdais en me lavant me donnaient envie d'espacer les shampoings… Ouf ! Beaucoup d'inquiétude et une question qui revenait : « Pourquoi à mon jeune âge ? » Qu'est-ce qui causait cette chute interminable (qui se prolongeait sur plus d'une année) ?

Tests du médecin : rien à signaler. Hérédité : ça va. Stress ? Coupable. Il n'existe pas 146 causes à la chute de cheveux et je les avais toutes éliminées sauf 2 : le stress et les hormones. En lisant sur Internet, j'ai découvert plusieurs histoires de femmes qui perdaient leurs cheveux à cause de « la pilule ». Et le stress, eh bien, nous le savons,

influence négativement notre santé/beauté ! Même en ayant mis plus ou moins le doigt sur le problème, je demeurais impuissante. « O.K., je perds mes cheveux à cause du stress, mais comment l'éliminer de ma vie ? ». Dès 2013, ma vie professionnelle a explosé, me laissant peu de temps pour profiter de la vie. Déchirée entre l'envie de mener à bout mes ambitions de carrière et le besoin de me reposer (comme tout le monde), le stress a pris le dessus sur ma vie ! Je suis choyée d'avoir toutes les opportunités que j'ai depuis le début de ma belle aventure… mais le succès ne vient pas les bras croisés, sans stress aucun !

Donc, quelle que soit la cause de votre chute de cheveux, je tenais à vous dire que je comprends. Les cheveux sont un signe de féminité, un atout de séduction, ils reflètent notre personnalité et notre santé. La chute de cheveux (féminine) est un problème récurrent, chez les femmes de tous âges ! C'est en discutant avec ma communauté sur les réseaux sociaux que j'ai pris conscience de l'ampleur de la situation. Pour ne pas rester sans réponse, consultez un professionnel. Je me dis que chaque cause a son traitement et qu'il faut être patiente. On ne peut pas faire repousser rapidement des cheveux, tenez-vous-le pour dit. Mais mener une carrière professionnelle bien remplie parsemée de stress sans être chauve à 30 ans ? J'y crois encore. Je NOUS souhaite d'avoir de la confiance et de la chance !

MES 3 RECETTES
CAPILLAIRES MAISON PRÉFÉRÉES

On les aime, les recettes maison ! Efficaces, économiques, naturelles… quoi demander de plus ? Voici celles qui ont le mieux fonctionné pour moi.

1

MASQUE POUR DONNER DE LA BRILLANCE AUX CHEVEUX

Cheveux ternes, qui manquent d'éclat ? Avec ce masque fortifiant et rehausseur de brillance facile à faire, vous verrez des changements encourageants en quelques applications ! Vous pouvez le faire 1 fois par semaine durant le premier mois, puis **1 à 2 fois par mois** pour entretenir. Plusieurs ingrédients naturels aident à donner de la brillance à la chevelure, mais j'aime particulièrement les suivants :

- 1 œuf, battu
- 1 c. à thé de vinaigre de cidre de pommes
- 1 c. à thé de glycérine
- 2 c. à thé d'huile de ricin (ou de noix de coco)

Mélangez tous les ingrédients ensemble avec un petit fouet jusqu'à l'obtention d'une texture lisse. Appliquez le masque sur les cheveux secs, de la racine aux pointes et patientez pendant 2 heures ou toute la nuit pour plus d'efficacité. Utilisez de la pellicule plastique pour recouvrir le traitement et maximiser sa pénétration dans la tige du cheveu. Ensuite, rincez, lavez et admirez !

2

TRAITEMENT FORTIFIANT AUX HUILES ET AU MIEL

Ce masque peut être réalisé pour toutes celles qui ont besoin d'apporter force, brillance et souplesse à leur crinière. J'aime le faire en été comme en hiver. Faites-le **2 à 4 fois** par mois dans un premier temps, puis, en entretien au besoin.

- 1 œuf, battu
- 2 c. à thé d'huile d'argan (ou olive)
- 1 c. à thé d'huile de noix de coco
- 1 c. à thé de miel liquide

Dans un petit bol, combinez tous les ingrédients et mélangez-les bien. Étendez le mélange sur les cheveux secs, en insistant sur les longueurs. Patientez durant 15 à 30 minutes, rincez sous la douche et lavez avec du shampoing. Vos cheveux seront tout doux et paraîtront plus sains !

3

TRAITEMENT ÉCLAIRCISSANT (REFLETS DORÉS)

Saviez-vous qu'il est possible de pâlir sa couleur de cheveux avec quelques ingrédients naturels ? Le résultat est assez léger en général, mais avec la recette suivante, vous réussirez tout de même à obtenir des reflets 1-2 tons plus pâles que votre couleur naturelle. Notez que cette recette réussit plus spécialement sur les cheveux blond foncé à châtain.

- 1 à 2 tasses de thé à la camomille ou d'infusion pure (selon la longueur des cheveux)
- Jus de 1 citron moyen

Mélangez simplement les 2 ingrédients dans une bouteille d'eau réutilisable et brassez. Versez le liquide dans une bouteille à vaporisateur vide et pulvérisez le produit partout sur vos cheveux humides. Peignez pour bien répartir. Pour terminer, faites séchez vos cheveux à l'air libre dehors au soleil pour « activer » le traitement. Renouvelez l'opération dès que nécessaire et pensez à bien hydrater vos cheveux entre chaque application, car le jus de citron est acide.

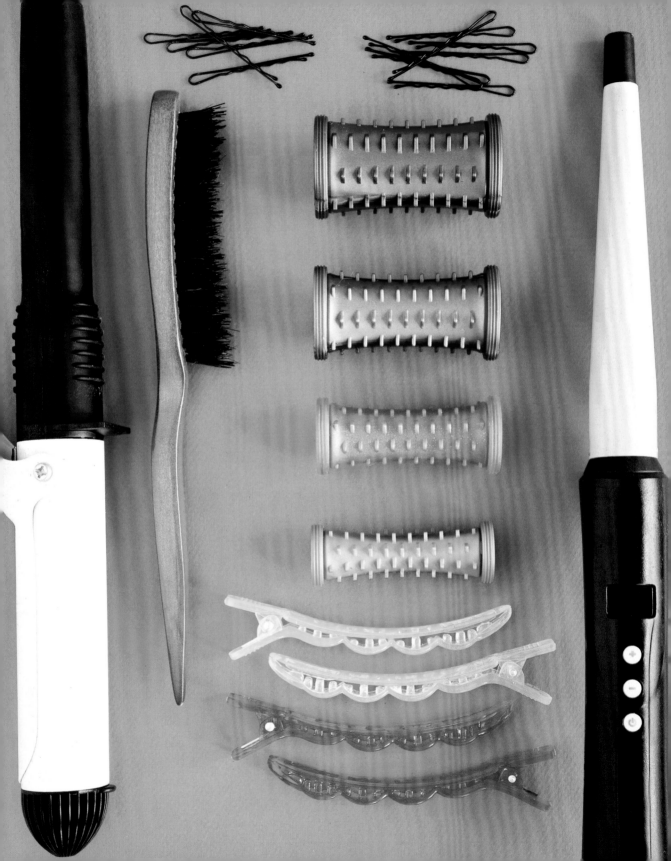

LES TECHNIQUES

PLEIN VOLUME

Le volume dans les cheveux a toujours été tendance et le sera toujours. Des cheveux épais, volumineux, sont synonymes de santé (et même de fertilité !). Si votre chevelure manque de tonus, suivez les conseils qui suivent pour y remédier illico !

AVANT

APRÈS

+ Si vous n'aimez pas crêper vos cheveux, il existe maintenant de petites poudres volumisantes transparentes. On saupoudre, on masse un peu et instantanément les cheveux s'épaississent et les racines décollent ! Vous les trouverez surtout en boutiques de produits pour les cheveux.

Le shampoing sec fonctionne bien pour donner de la texture et du corps aux cheveux. En absorbant l'excès de sébum, les racines sont automatiquement décollées.

N'oubliez pas que **2 types de cheveux** manquent naturellement de volume : **les gras et les fins**. Le poids et la longueur des cheveux peuvent également faire en sorte qu'ils soient plus plats sur le dessus de la tête ; si vous pouvez, coupez-les !

1. Avoir des cheveux plus épais et avec plus de corps, ça commence sous la douche. Utilisez des shampoings volumisants qui donnent beaucoup de texture aux cheveux. Profitez-en pour masser votre cuir chevelu : ça active la circulation sanguine et soulève les racines.

2. Essorez vos cheveux et utilisez ensuite un produit coiffant qui ajoute du volume. Les mousses sont toutes indiquées, car elles n'alourdissent pas le cheveu.

3. Pour soulever les racines, utilisez une brosse ronde avec le sèche-cheveux. Prenez des petites sections par-dessous et étirez-les en les dégageant du visage dans un mouvement arrondi. Vous pouvez aussi sécher vos cheveux en ayant la tête penchée vers l'avant (la gravité aidant) pour obtenir un maximum de volume !

4. Si ces 3 étapes ne suffisent pas, il reste une solution miracle qui fonctionne à tout coup : le crêpage. On utilise simplement un peigne : une main tient une mèche de cheveux étirée vers le plafond et l'autre les repousse vers la racine à l'aide du peigne. Le mouvement de la main doit être légèrement arrondi pour avoir le meilleur résultat. À faire à l'occasion puisque ça abîme un peu les cheveux... Pour finir, on peut pencher la tête, vaporiser du fixatif et relever la tête rapidement pour avoir une vraie tignasse de lionne !

DIFFÉRENTS TYPES DE
BOUCLES ET TECHNIQUES

Selon les outils utilisés, on peut obtenir une multitude de boucles différentes en coiffure ! Vagues, crans, anglaises... pour quel style craquerez-vous ?

GROSSES BOUCLES LÂCHES

Ce look est parfait pour dégager les cheveux du visage et ajouter du mouvement. Très glamour et indémodable.

- Fer à friser avec spatule 1 à 1 ½ po
- Mèche enroulée à plat

BOUCLES NATURELLES

La forme conique du fer sans spatule crée des boucles de différentes largeurs du début à la fin. Idéal si vous aimez les boucles imparfaites, qui font plus naturelles !

- Baguette à friser conique
- Mèche légèrement enroulée sur elle-même

BOUCLES CARRÉES

Il faut descendre en tournant la mèche en un mouvement continu pour éviter les faux plis. Le résultat donne une boucle moins ronde à cause de la forme du fer. Ça dépanne lorsqu'on n'a pas de fer à friser chez soi !

- Fer à lisser étroit
- Mèche enroulée à plat

BOUCLES REBONDISSANTES

Les rouleaux créent de belles boucles rebondissantes et pleines de volume ! En défrisant, elles deviennent de jolies ondulations. On peut utiliser un fer moyen sans spatule (baguette) pour obtenir un effet similaire.

- Rouleaux (chauffants ou non)
- Mèche enroulée à plat

BOUCLES
LONGUE TENUE

J'entends souvent des filles se plaindre que sur elles, les boucles créées au fer ne tiennent pas. Il est évident qu'une fille aux cheveux lisses aura toujours plus de mal à boucler ses cheveux et, malheureusement, on ne peut rien y faire puisque c'est leur nature. Par contre, il existe certains trucs à connaître pour mettre toutes les chances de votre côté !

1. Boucler

Lorsque vous frisez vos cheveux au fer, prenez de petites sections : les boucles trop larges se détendent plus vite ! Laissez le fer sur la mèche suffisamment longtemps pour qu'elle prenne bien le pli que vous créez (sans brûler le cheveu, bien sûr !).

2. Refroidir

Si vous voulez des boucles qui tiennent bien, ne les laissez pas retomber ! Le truc est de les garder enroulées dans sa main le temps qu'elles refroidissent. Une fois froides, les boucles gardent leur forme. Tant qu'une mèche est chaude, on peut encore la travailler.

3. Enrouler

Mieux encore que la technique de la main, on peut fixer sur la tête les mèches bouclées pour qu'elles gardent leurs formes. Les coiffeurs utilisent souvent ce truc : suivez la forme de la boucle pour l'enrouler sur elle-même en remontant vers la racine et fixez-la avec une pince à cheveux. Lorsque vous aurez bouclé et remonté toutes les mèches, patientez le plus longtemps possible avant de retirer les pinces. Vous pouvez vous maquiller en attendant, par exemple.

4. Fixer

Évidemment, la dernière étape consiste à appliquer du fixatif, beaucoup de fixatif ! Personnellement, plus j'en mets, plus ça tient. Les mèches qui ont tendance à défriser facilement peuvent être vaporisées de plus près.

 Une coiffure tient toujours mieux sur des cheveux un peu sales. Ils sont plus malléables et faciles à coiffer. Un cheveu fraîchement lavé glisse et reprend vite sa forme initiale.

Un cheveu poreux (à cause d'une décoloration, par exemple) est facile à coiffer. Sa texture plus sèche permet de créer rapidement avec le fer des boucles qui tiendront longtemps.

Il est difficile de boucler des cheveux qui ont été préalablement lissés ; c'est un ou l'autre !

L'épaisseur et la longueur de cheveux influencent la tenue des boucles à cause du poids ; pensez-y !

TRUC DE PRO

CHEVEUX ULTRABRILLANTS !

L'apparence des cheveux peut être influencée par notre mode de vie et notre type de cheveux. S'ils sont secs ou abîmés, par exemple, ils paraîtront plus ternes. Heureusement, avec quelques bons conseils, il est possible de tricher un peu et de rendre sa crinière plus brillante !

AVANT

APRÈS

➕ Pour aider à conserver votre brillance, appliquez des masques capillaires **1 fois par semaine.**

L'alimentation peut également jouer un rôle au niveau de la brillance des cheveux : des compléments alimentaires pourraient vous aider. Consultez votre médecin.

Si vos cheveux sont secs et ternes comme de la paille, coupez-les. C'est la seule vraie façon de les faire « revivre » !

1. Commençons sous la douche. Sur vos cheveux propres et mouillés, faites une dernière eau de rinçage avec du vinaigre de cidre de pommes. Il est reconnu pour faire briller les cheveux et les renforcer (seul bémol : espacez les traitements pour éviter l'effet desséchant). Vous pouvez aussi terminer avec un jet d'eau froide sur les longueurs pour renforcer l'effet du vinaigre de rinçage !

2. Lorsque vous séchez vos cheveux, veillez à ce que la buse (tête du séchoir) soit placée vers le bas. Avec une brosse ronde, étirez vos cheveux dans le même sens. Faire une mise en pli de cette façon permet de lisser les cuticules des cheveux et ainsi les faire briller plus ! Comme touche de finition, on règle le sèche-cheveux à air froid et on repasse une dernière fois partout.

3. Au besoin, on utilise un fer plat, qui lui aussi aidera à aplatir les cuticules des cheveux afin qu'ils paraissent moins ternes. La brillance et la couleur ressortent mieux lorsque les cheveux sont lissés. Cette étape est facultative, car la mise en pli rend déjà les cheveux sans frisottis.

4. Dernière étape si l'on souhaite avoir un maximum de brillance : le sérum ! Appliquez-en légèrement sur vos pointes en effleurant vos cheveux d'un mouvement rapide. Si vos cheveux sont fins, vous préférerez sûrement les huiles sèches, qui s'utilisent généralement sur le visage, le corps et les cheveux. En plus de faire briller, elles nourrissent sans alourdir.

COLORATION À LA MAISON
QUELQUES CONSEILS

J'ai très longtemps fait moi-même mes colorations de cheveux à la maison. Pour l'économie d'argent et à cause de mon horaire surchargé, j'ai toujours pensé que ça en valait la peine. Certaines filles sont plus anxieuses et préfèrent confier leurs cheveux à un professionnel; c'est tout à fait correct. Cependant, si vous souhaitez vous lancer dans l'aventure à la maison, voici quelques conseils qui pourraient bien vous aider.

CHEVEUX SALES OU PROPRES ?

Savez-vous pourquoi on conseille de faire une coloration sur des cheveux qui ne sont pas fraîchement lavés ? Premièrement, certains shampoings peuvent laisser un dépôt cireux sur les cheveux, ce qui nuirait à l'uniformité de la coloration. Deuxièmement, après 1 ou 2 jours, les huiles naturelles du cheveu sont de retour (sébum), créant une couche de protection pour le cuir chevelu. C'est une bonne nouvelle, car les colorations peuvent être irritantes.

PROTÉGEZ TOUT !

La teinture, ça tache. Les comptoirs, les mains, le front, le tapis de la salle de bain… tout. Portez un vieux chandail que vous n'utilisez plus et enfilez des gants en plastique (souvent fournis dans les boîtes de coloration). Pour protéger votre visage et votre cou contre d'éventuelles taches, appliquez une fine couche de gelée de pétrole ou d'huile le long de la ligne des cheveux. Gardez un chiffon humide et chaud près de vous en cas d'incident. En quelques secondes seulement, des marques indélébiles peuvent être laissées sur le comptoir de la salle de bain !

DIVISEZ LES CHEVEUX

C'est une étape essentielle si on veut réussir comme les pros ! Si vous devez teindre vos repousses, faites-le en premier. Le reste des cheveux peut être divisé en rangées horizontales sur le dessus de la tête et à l'arrière. Si vous préférez, vous pouvez aussi diviser tous les cheveux en 4 sections retenues par de grosses pinces. C'est une méthode souvent plus simple et rapide. Appliquez la couleur avec un large pinceau plat synthétique et assurez-vous d'en mettre suffisamment : vaut mieux trop que pas assez.

FAITES MOUSSER !

Encore un geste copié du salon : on « étire » la couleur une fois sous la douche. Avec un peu d'eau tiède, on commencer à masser doucement le crâne et les longueurs, pour rendre la couleur plus uniforme une dernière fois. À cette étape, on porte une attention particulière aux cheveux secs (plus poreux), pour éviter de faire noircir les pointes par une trop grande absorption de couleur. Ensuite, on rince bien et on lave avec un shampoing doux.

BIEN ENTRETENIR

Dans les heures et journées suivant l'application de la couleur, faites attention aux produits capillaires que vous utiliserez. Les masques sont à proscrire, car leur molécule pourrait déloger celle de la couleur. Vous pouvez toutefois utiliser le revitalisant fourni dans les boîtes de teinture pour prévenir le dessèchement et faire briller les cheveux. Pour préserver votre couleur, tenez-vous loin des shampoings clarifiants ou de mauvaise qualité. Utilisez seulement des produits pour cheveux colorés. Mon coup de cœur : les huiles de prélavage, qui empêchent l'eau de trop s'infiltrer dans le pigment.

+ Si vos cheveux sont vraiment longs, pensez à acheter 2 boîtes de coloration. Cela pourrait vous éviter une visite éclair à la pharmacie en cas de pépin lors du processus de coloration !

Si vous hésitez entre 2 teintes, prenez la plus claire. Il est toujours plus facile de foncer que de pâlir !

Pour les changements de couleur drastiques, ne prenez pas de risque : allez au salon de coiffure.

N'oubliez pas de faire un test d'allergie au tout début ! Si vous lisez bien les instructions, il ne devrait pas y avoir de problème. Enceinte, évitez les colorations à base d'ammoniaque et tournez-vous plutôt vers le naturel, comme le henné.

MYTHES ET RÉALITÉS
SUR LES CHEVEUX

Lorsqu'on coupe ses cheveux, ils poussent plus vite. FAUX

Couper ses cheveux régulièrement aide à garder les pointes en santé, mais la pousse des cheveux passe par les racines… et non les pointes ! Je ne sais pas pourquoi ce mythe est si répandu, mais j'avoue y avoir cru plus jeune. Oups !

Les blondes ont des cheveux plus fins. VRAI

C'est vrai, mais elles en ont plus en nombre que toute autre couleur de cheveux !

Brosser ses cheveux 100 fois par jour est une bonne idée. FAUX

Ce vieux mythe pour avoir des cheveux plus longs et brillants a été maintes fois déconseillé. En plus de faire tomber plus de cheveux qu'à la normale, cette habitude peut causer des fourches dans les pointes.

Certains produits peuvent réparer les pointes fourchues. FAUX

Si vos pointes sont cassées ou fourchues, il faut les couper. Même si plusieurs compagnies prétendent le contraire, aucun produit ne peut les réparer. Si ça semble fonctionner, l'illusion ne durera que quelques heures ou jours… avant que vous ne deviez aller chez le coiffeur pour de bon !

Un cheveu décoloré est un cheveu plus poreux. VRAI

Lorsqu'on teint ses cheveux en blond, on abîme son cheveu qu'on le veuille ou non. Un cheveu décoloré est automatiquement un cheveu plus sec et fragile, qui nécessite beaucoup d'attention. Il est vrai qu'un tel type de cheveux est donc plus poreux. Ça a toutefois un avantage : celui de donner plus de texture aux cheveux. Par ailleurs, les cheveux poreux (ou abîmés) sont plus faciles à coiffer : ils gardent bien les plis ! Essayez de friser une fausse blonde et vous comprenez tout de suite de quoi je parle…

ASTUCES CHEVEUX EN VRAC

1
Beaucoup de frisottis ? Essayez de vaporiser un peu de fixatif sur une vieille brosse à dents et passez-la sur les petits cheveux fous. Le résultat sera impeccable !

2
Saviez-vous que les pinces à cheveux ont un sens ? La plupart des femmes ignorent ce truc ! On doit les glisser dans les cheveux le côté gaufré face au cuir chevelu pour avoir une meilleure prise et stabilité. On peut même les enduire de fixatif avant pour les aider à bien tenir.

3
Vos cheveux manquent de volume ? Pour une retouche express, massez votre cuir chevelu avec la pulpe des doigts, en petits mouvements circulaires. En quelques secondes, vous verrez les racines de vos cheveux plus décollées. Masser active la circulation sanguine, donnant ainsi plus de vitalité à la chevelure. Bonus : c'est un geste antistress !

4
Rien n'est plus exaspérant que des cheveux qui s'emmêlent sans cesse ! Essayez de dormir avec une taie d'oreiller en satin ; celles faites d'autres matières peuvent frictionner les cheveux. À long terme, ça peut les rendre plus cassants. Les taies en soie ou en satin aident aussi pour les frisottis.

5
Vous aimez les cheveux style plage ? Mélangez dans une bouteille vide de l'eau et du sel de mer. Facultatif : une goutte d'huile essentielle pour parfumer. Agitez, laissez reposer pendant 1 heure et vaporisez sur les longueurs. Froissez vos cheveux avec vos doigts. Une fois totalement secs, ils auront plein de texture !

6 Pour friser vos cheveux, vous pouvez les diviser en sections verticales au lieu des traditionnelles divisions horizontales. Je trouve que cette méthode va plus vite et donne d'aussi bons résultats !

7 Quelques aliments ou ingrédients naturels peuvent être utilisés en traitements beauté hebdomadaires pour favoriser la pousse des cheveux et en stopper la chute : jus d'oignon rouge, ail, huile de romarin, huile de noix de coco, huile de ricin… En 1 à 2 mois, vous devriez voir un changement.

8 On peut utiliser les huiles capillaires de 2 façons : en traitement toute une nuit (il faut laver les cheveux le lendemain) ou en retouche le jour pour lisser les frisottis et faire briller !

9 Il est facile d'égarer rapidement ses élastiques à cheveux ! Pour les trouver au même endroit, je les range sur un mousqueton : c'est super facile d'accès ! Bonus : quant aux pinces à cheveux, je réutilise des boîtes de menthes rectangulaires ; c'est la grosseur idéale !

10 Pour des cheveux vagués en seulement 10 minutes, essayez cette technique facile : faites 4 tresses avec vos cheveux et passez le fer plat dessus en appuyant bien : des minivagues seront créées !

10
ERREURS
À ÉVITER

3
UTILISER UNE BROSSE EN MÉTAL AVEC DE LA CHALEUR

Il vaut mieux utiliser des matières naturelles, comme le bois, qui ne retient pas la chaleur dans le cheveu. Les brosses en métal placées près de la tête des séchoirs ont tendance à brûler la fibre capillaire... Bref, évitez les brosses en métal ou en plastique, parce qu'elles créent également de l'électricité statique dans les cheveux.

1
LAVER SES CHEVEUX TOUS LES JOURS

C'est un piège à éviter : plus on lave le cheveu, plus il devient gras rapidement. Il est difficile de sortir de ce cercle vicieux, mais c'est un mal nécessaire ! Pour espacer les shampoings, on peut utiliser du shampoing sec.

4
ABUSER DES OUTILS CHAUFFANTS

On a toutes fait l'erreur plus jeune : utiliser des fers à friser ou à lisser tous les jours abîme les cheveux ! Si vous devez absolument en utiliser, employez au moins un protecteur de chaleur avant. Et lorsque c'est possible, faites sécher vos cheveux à l'air libre pour leur donner un congé (bien mérité) du sèche-cheveux.

2
NE PAS UTILISER D'APRÈS-SHAMPOING

C'est comme laver son visage, mais sans jamais l'hydrater par la suite... L'après-shampoing est l'équivalent de la crème hydratante pour les cheveux. On doit l'employer après chaque nettoyage si on veut garder ses cheveux brillants, doux et sains !

5
TOUJOURS ATTACHER SES CHEVEUX

À long terme, ça risque d'endommager les cheveux. À force de plier toujours au même endroit, le cheveu peut casser. Aussi, si vous faites souvent des tresses serrées, avec le poids, ça peut entraîner une chute de cheveux. C'est bien de les laisser respirer de temps en temps !